Recettes traditionnelles
du temps des fêtes

DES MÊMES AUTEURS

Les grandes dames de la cuisine au Québec. Tome 1, Éditions La Presse, 1984.

Les grandes dames de la cuisine au Québec. Tome 2, Éditions La Presse, 1986.

*Le tour du monde en 300 recette*s, Éditions La Presse, 1987.

Cuisine au jour le jour, Éditions Le Manuscrit, 1987.

Guide Bizier des restaurants, Éditions Québécor, 1992

Louisiana, Ulysses Travel Publications, 1998.

Louisiane, Pelican Publishing Company, 1999.

Le Guide Bizier et Nadeau. Le répertoire des restaurants et des adresses gourmandes du Québec, Les Éditions de l'Homme, 1999.

Guide Ulysse. La Nouvelle-Orléans, Ulysses Distribution, 1998, 2000.

New Orleans, Ulysses Travel Publications, 1997, 1999, 2001.

Guide Ulysse. Louisiane, Ulysses Distribution, 1995, 1998, 1999, 2001.

Guide Ulysse. Puerto Vallarta, Ulysses Distribution, 1998, 2000, 2002.

Célébrer le Québec gourmand. Cuisine et saveurs du terroir, Éditions du Trécarré, 2003.

Tunisie. 3000 ans d'histoire, Office national du tourisme tunisien, 2002.

Cuisine de souvenirs et recettes, Éditions du Trécarré, 2004.

Les fromages du Québec. Cinquante et une façons de les déguster et de les cuisiner, Éditions du Trécarré, 2002, 2004, prix Gourmand Awards Cookbook 2003.

Répertoire des fromages du Québec, Éditions du Trécarré, 2002, 2004, lauréat or français, concours de livres culinaires, Université de Guelph.

Fruits et légumes de nos marchés, Éditions Caractère, 2006.

Richard Bizier et Roch Nadeau

Recettes traditionnelles du temps des fêtes

TRÉCARRÉ

QUEBECOR MEDIA

Catalogage avant publication de Bibliothèque et Archives Canada

Bizier, Richard

Recettes traditionnelles du temps des fêtes

ISBN-13: 978-2-89568-338-4
ISBN-10: 2-89568-338-7

1. Cuisine de Noël - Québec (Province). 2. Cuisine québécoise. I. Nadeau, Roch. II. Titre.

TX739.2.C45B59 2006   641.5'68609714   C2006-941567-6

Remerciements
Les Éditions du Trécarré reconnaissent l'aide financière du gouvernement du Canada par l'entremise du Programme d'aide au développement de l'industrie de l'édition (PADIÉ) pour ses activités d'édition. Gouvernement du Québec – Programme de crédit d'impôt pour l'édition de livres – gestion SODEC.

Révision : Anik Charbonneau
Couverture : Tania Jimenez
Mise en pages : Danielle Péret
Photo de la couverture : Getty Images

© 2006, Éditions du Trécarré

ISBN 10 : 2-89568-338-7
ISBN 13 : 978-2-89568-338-4

Dépôt légal – Bibliothèque et Archives nationales du Québec, 2006

Imprimé au Canada

Éditions du Trécarré
7, chemin Bates, Outremont (Québec) H2V 4V7 Canada
Tel. : 514 849-5259

Distribution au Canada
Messageries ADP
2315, rue de la Province, Longueuil (Québec) J4G 1G4
Téléphone : 450 640-1234
Sans frais : 1 800 771-3022

Table des matières

Avant-propos

Hommage aux cuisinières du Québec

Nos aïeules cuisinières furent d'abord autochtones. Les femmes amérindiennes cueillaient les petits fruits sauvages qui, une fois séchés, s'ajoutaient aux préparations culinaires. À titre d'exemples, le bleuet et la baie d'amélanchier, une fois séchés, s'ajoutaient à la bannique, un pain rustique absolument délicieux préparé avec de la farine de maïs. Ce sont également les Amérindiens qui firent connaître aux colons français les délices de la sève et du sirop d'érable.

L'art culinaire en Nouvelle-France

Dans une lettre adressée à son fils Claude, prêtre en France, mère Marie de l'Incarnation racontait la façon dont les Amérindiens taillaient l'érable pour en extraire une sève qui, une fois réduite sur le feu, devenait du sirop. Le Français apprit qu'en épaississant ce sirop, on obtenait un sucre goûteux. Ce sucre d'érable allait vite devenir le « sucre du pays ».

Il semble que ce soit Marguerite Bourgeoys, fondatrice des Dames de la Congrégation de Notre-Dame et première institutrice de Montréal en 1653, qui créa la tire Sainte-Catherine. Ce genre de nougat à la mélasse, une friandise originale pour l'époque, permettait à la religieuse d'attirer à son école les jeunes Amérindiennes et Françaises de Ville-Marie (Montréal).

On doit aux Ursulines de Québec, aux Dames de la Congrégation de Notre-Dame et, plus tard, aux Ursulines de La Nouvelle-Orléans, d'avoir ouvert les premières institutions dispensant aux élèves des cours de cuisine. Dans leurs couvents, durant plus de trois cents ans (du XVIIᵉ siècle jusqu'au milieu des années 1950), se répartissant dans l'ensemble des régions de la Nouvelle-France, puis du Québec et du Canada, les religieuses jetèrent les bases de notre gastronomie traditionnelle.

De précieux ouvrages culinaires

Parmi ces religieuses – issues des communautés –, deux femmes se sont démarquées particulièrement : la révérende mère Caron, des Sœurs de la charité de la providence, et sœur Sainte-Marie Édith, des Dames de la Congrégation de Notre-Dame. Enfin, des dames laïques prirent la relève de l'enseignement ménager. Dans la première moitié du XXᵉ siècle, d'autres femmes ont fait leur marque dans la gastronomie québécoise.

Ma famille et mes tantes beauceronnes

Mon père, Albert Bizier, avait de quoi s'inspirer. Dans sa Beauce natale, son père (Trefflé) avait son bâtiment et cuisinait tout ce qui bougeait : raton-laveur, ours, castor, porc-épic, etc. Lors de ses grandes envolées culinaires, très rustiques avouons-le, ma grand-mère, Marie-Anne Veilleux, lui interdisait l'accès à la maison, d'où le « refuge » culinaire du grand-père.

Étiennette Robidoux, ma mère, fut une femme-chef réputée dans les années 1930. Elle officiait avec panache au Château Sainte-Rose, un établissement hôtelier qui offrait à l'époque la meilleure table de la région. Ma mère mourut alors que je n'avais que quatre ans et demi. Aussi, le seul héritage qu'il me resta d'elle fut ses recettes quotidiennes et du temps des fêtes qui, par un hasard magnifique, nous furent transmises par mon père, grand passionné de la cuisine et cordon-bleu remarquable.

À la suite du décès de ma mère, mon père s'est retrouvé avec cinq jeunes enfants. Avec mes frères et mes sœurs, nous allions séjourner quelque temps chez nos tantes beauceronnes. La vie rurale, quel contraste avec la vie à Montréal ! Pour moi, la ferme du 6ᵉ Rang de Courcelles allait devenir un paradis. J'ai très vite apprécié la nature environnante et la vie à la ferme, notamment la traite des vaches, la cueillette des fraises des champs, des framboises et des bleuets à l'orée des bois, le potager, le verger, la saison des récoltes, la mise en conserve, la boucherie automnale et, bien sûr, la cuisine de tante Alma et de ma cousine Gabrielle.

Nos tournées dominicales dans les villages voisins me permirent de découvrir les talents de grandes cuisinières de mes tantes Juliette Bizier-Rosa, à Nantes, Irène Bellavance-Bizier, à Sainte-Cécile, Irène Bizier-Couture, à Courcelles, Bernadette Bizier-Bilodeau, à Lambton, et enfin de mes tantes franco-américaines Joséphine et Blanche Bizier, à Lewiston, dans l'État du Maine.

L'héritage culinaire de mes tantes

Chez ma tante Alma, mon espace privilégié demeurait la grande table de la cuisine où se prenaient les repas quotidiens. Là, près du poêle à bois, j'épiais les moindres gestes de ma tante et de ma cousine Gabrielle. Le jour, la cuisine s'agitait pour le rituel du pain. Tout me fascinait... Le pétrissage de la pâte, qui se mettait ensuite à gonfler et que l'on rabattait encore et encore avant d'être déposée dans des moules graissés et farinés. Avant que la pâte à pain ne prenne sa forme dans les moules, on attisait le feu de bois du grand poêle en fonte, puis on enfournait ces pains de ménage façonnés en « fesses », d'où leur appellation un peu grivoise. Une odeur de bon pain se répandait dans la maison. Sitôt ce pain cuit, la récompense ultime pour les enfants consistait à se voir servir une tranche de pain chaud, nappée de sucre d'érable et sur laquelle se versait une généreuse rasade de crème d'habitant bien épaisse.

La fascination était à son comble lorsque l'omelette aux herbes salées, gonflée tel un énorme champignon doré, débordant de sa poêle, sortait du four. Si les apprêts étaient d'une grande simplicité, tous s'avéraient savoureux. Ces soupes et plats, relevés d'herbes fraîches du potager en belle saison ou d'herbes salées durant les mois de froidure, n'avaient rien à envier aux grandes tables urbaines, encore moins à celles des riches. Contrairement à bien des familles en milieu urbain habitant les quartiers ouvriers de Montréal ou de Québec, l'abondance des produits fermiers ne fit jamais défaut chez mes tantes. Le bœuf braisé ou bouilli aux légumes, le steak de lard, le pain de viande, le saumon à la sauce aux œufs, les fèves au lard, la petite truite du ruisseau, les tourtes et tourtières, le steak déglacé au thé, les côtelettes de porc à la sauce brune et aux oignons, le chapon du dimanche, les légumes du potager en été, les légumes du caveau en hiver, les haricots jaunes et les petits pois en conserve, les confitures de petits fruits pour les tartines du matin... Rien ne manquait, sauf qu'il fallait modérer nos dégustations de confiture aux fraises des champs... « Il faut en garder pour la visite des États », disait ma grand-mère Marie-Anne.

Le potager, les récoltes et les conserves

Des deux côtés du 6e Rang de Courcelles, chaque famille avait son potager où s'enlignaient les choux, les petites fèves jaunes, les panais, les carottes, les concombres, les tomates, les herbes, les navets, les petits pois, les oignons, etc. Les pommes de terre, denrée importante qui était de tous les repas, se cultivaient dans un grand champ réservé à cette fin; il fallait en faire des réserves suffisantes pour la saison froide.

Tout l'été, les légumes permettaient la préparation de plats goûteux, dont le plus fameux demeure sans contredit le populaire bouilli de bœuf aux légumes.

La boucherie, la salaison et le fumage

À l'automne, lors de la boucherie de cochon, ma tante et ma cousine s'affairaient à nettoyer les boyaux pour recevoir le sang composant le boudin, à farcir de chair assaisonnée d'autres boyaux pour confectionner les saucisses. Dans les autres préparatifs, il y avait la fameuse tête fromagée, ainsi que le bacon et le jambon cru qui se fumaient tous deux à la ferme, suspendus sous les copeaux d'érable du fumoir traditionnel. Ensuite, on lavait et grattait les quartiers de porc destinés à la saumure. Le saindoux, élément important dans la cuisine québécoise traditionnelle, se préparait en grande quantité.

Le bœuf, le veau et la volaille étaient également débités à la ferme et constituaient d'autres précieuses denrées. Certaines pièces étaient réservées pour la préparation de conserves ou de viande en gelée.

Mes tantes montréalaises

Chez mes tantes montréalaises, Philomène, Gertrude, Simone et Yvonne, il était de coutume de recevoir à tour de rôle tout au long du temps des fêtes. Ainsi, du réveillon de Noël jusqu'à l'Épiphanie (les Rois), on se rassemblait – adultes et enfants – autour de grandes tables bien garnies. Parmi toutes ces tantes, j'avais une préférence pour la cuisine de tante Philomène, qui habitait le quartier ouvrier de Pointe-Saint-Charles, car ses plats et ses desserts étaient similaires à ceux de ma mère.

Conclusion

Le présent ouvrage constitue un document de reconnaissance envers toutes celles qui ont été la mémoire de notre patrimoine culinaire. Ce témoignage écrit est mon legs aux générations futures du savoir-faire de nos mères cuisinières.

Les petits boires du temps des fêtes

Du milieu du XVIIe siècle aux environs de 1955, les festivités de Noël, du Nouvel An et des Rois (l'Épiphanie) s'ancrèrent très profondément dans nos traditions. Durant les fêtes, la coutume voulait que les familles et les voisins se rendent visite mutuellement afin de se transmettre les bons vœux de santé, de prospérité, d'amour, de joie et de paix.

La démarche permettait – à la gent masculine particulièrement – de boire à la santé de chacun. La boisson coulait à flots. Pour les messieurs : gin chaud (« ti-ponce »), gin nature (« ti-flasque »), caribou, bière ou « bagosse ». Pour les dames : vin de cerise sauvage et de pissenlit ; bière d'épinette ou soda au gingembre pour les jeunes ou les adeptes de « tempérance ». En Nouvelle-Angleterre, dans les familles franco-américaines, le lait de poule était servi aux visiteurs à Noël et au jour de l'An.

Café au brandy et à la muscade

Pour 4 personnes /
Préparation : 5 min

1 l (4 tasses) de café fort bien chaud
60 ml (4 c. à soupe) de brandy ou de cognac
5 ml (1 c. à thé) de muscade râpée
250 ml (1 tasse) de crème fouettée

Répartir le café dans de grandes tasses ; ajouter à chacune 15 ml (1 c. à soupe) de brandy. Saupoudrer chaque café d'un soupçon de muscade ; en réserver la moitié pour la crème fouettée.

Napper les tasses de crème fouettée et les saupoudrer de muscade râpée. Servir très chaud avec du sucre d'érable granulé.

Durant des années, le thé fut plus populaire que le café, lequel ne s'offrait que lors de grandes occasions. Aussi, le café au brandy avait-il un grand succès les jours de célébration.

Caribou des trappeurs

Pour 8 personnes /
Préparation : 10 min / Infusion : 30 min

1,5 l (6 tasses) de vin Saint-Georges (type porto)
500 ml (2 tasses) de whisky irlandais Saint-James
2 bâtons de cannelle
4 clous de girofle

Chauffer le vin Saint-Georges et le whisky dans une casserole ; ajouter la cannelle et le clou de girofle. Porter à ébullition et retirer du feu aussitôt. Laisser refroidir le liquide à la température de la pièce.

Retirer la cannelle et le clou de girofle, et, à l'aide d'un entonnoir, verser le caribou dans des bouteilles préalablement lavées. Bien bouchonner et conserver dans un endroit sombre et frais.

Les boires québécois comprennent bien des variantes. Dans certaines régions, le vin rouge remplace le Saint-Georges, un vin doux rappelant le porto, et le « gros gin » remplace parfois le whisky irlandais.

Lait de poule de Noël

Pour 4 personnes / Préparation : 15 min / Réfrigération : 2 h

60 ml (4 c. à soupe) de sucre roux de canne
4 œufs (jaunes et blancs séparés)
250 ml (1 tasse) de lait
250 ml (1 tasse) de crème 15 %
250 ml (1 tasse) de crème 35 %
250 ml (1 tasse) de rhum Saint-James

Fouetter le sucre et les jaunes d'œufs jusqu'à consistance mousseuse ; réserver les blancs. Ajouter, par petites quantités à la fois, le lait, la crème 15 %, la crème 35 % et le rhum. Faire monter les blancs d'œufs en neige et les incorporer au mélange.

Remplir de lait de poule un récipient ou une bouteille en verre. Réfrigérer 2 heures. Secouer avant de verser dans des verres.

Le lait de poule américain est une création du XVIIe siècle. Dans certains États, l'élixir des fêtes se fait avec du whisky (bourbon), tandis qu'en Louisiane, influences française et créole obligent, cognac ou rhum parfume la boisson. De la muscade râpée ajoute aussi une saveur subtile.

P'tit ponce au gin de l'oncle Arsène

Pour 4 personnes /
Préparation : 15 min

1 l (4 tasses) d'eau de source bouillante
20 ml (4 c. à thé) de miel de trèfle
250 ml (1 tasse) de gin
1 citron : le jus de ce citron

Une fois l'eau en ébullition, ajouter les autres ingrédients. Bien mélanger et servir aussitôt dans de grandes tasses.

Punch de Noël au vin rouge

Pour 12 personnes /
Préparation et cuisson : environ 1 h

1 orange, lavée
12 clous de girofle
2 bouteilles de vin rouge
1 citron, lavé et coupé en tranches fines
1 bâton de cannelle
125 ml (1/2 tasse) de raisins secs
125 ml (1/2 tasse) de sucre d'érable ou de canne
125 ml (1/2 tasse) de cognac ou de rhum

Préchauffer le four à 200 °C (400 °F). Strier l'orange lavée en losanges et piquer 1 clou de girofle dans chacun des losanges. Déposer l'orange piquée au centre d'un moule à tarte et la cuire au four 30 minutes.

Verser le vin rouge dans une grande casserole avec le citron, la cannelle, les raisins et le sucre ; retirer l'orange cuite du four et l'ajouter au vin. Faire mijoter le vin à découvert environ 20 minutes (sans bouillir) en mélangeant le tout à maintes reprises.

Refroidir ; conserver au frais. Réchauffer le vin au moment de servir, puis le verser chaud dans un bol à punch.

Les petits boires

Amuse-gueules
et hors-d'œuvre

AMUSE-GUEULES

Autrefois, les amuse-gueules n'étaient pas aussi populaires que maintenant, et ils se limitaient aux olives, aux bâtonnets de céleri, aux arachides ainsi qu'aux noix salées. Ces grignotines s'offraient avec de la bière, du caribou ou d'autres alcools, ou encore des boissons non alcoolisées.

HORS-D'ŒUVRE

Les hors-d'œuvre et les entrées n'étaient guère plus en vogue. Les biscuits salés (Ritz), tartinés de crémeux fromage aux pépites de poivron rouge ou d'olives concassées, accompagnaient le jus de tomate souvent offert avant le repas. Le céleri, méconnu dans les campagnes jusqu'au milieu du XXe siècle, se consommait surtout en ville. On farcissait de fromage la cavité des branches.

Les œufs farcis, la mousse de foie de volaille, les cretons, la tête fromagée, sans oublier l'incontournable tourtière étaient des apprêts en vogue. Charlevoisiens, Saguenéens et Jeannois nommèrent « tourtière » leur cipaille, alors que la tourtière au porc et au veau – préparée dans d'autres régions – reçut l'appellation de « pâté à la viande ». Les Montréalais servaient la tourtière en entrée chaude avec les marinades usuelles : betteraves vinaigrées, catsups et cornichons (surs ou sucrés).

Biscuits tartinés au fromage à la crème

Pour 8 personnes /
Préparation : 15 min

250 g (1/2 lb) de fromage à la crème, coupé en 4 portions
48 petits biscuits salés (Ritz) ou carrés de pain de mie

Fromage à la crème aux olives : **6** olives farcies, hachées et mélangées à **1** portion de fromage

Fromage à la crème au poivron rouge : **60 ml (1/4 tasse)** de poivron rouge grillé et pelé, égoutté, épépiné, haché et mélangé **1** portion de fromage

Fromage à la crème aux cornichons sucrés : **6** petits cornichons sucrés, égouttés hachés, et mélangés à **1** portion de fromage à la crème

Fromage à la crème à la ciboule : **2** petits oignons verts, lavés, égouttés, hachés et mélangés à **1** portion de fromage à la crème

Préparer les 4 saveurs de fromage : olives, poivron rouge, cornichons et ciboule. Tartiner les biscuits salés ou le pain avec les différentes tartinades. Conserver au frais. Servir avec un punch ou un jus de tomate en début de repas.

Chez certains, au réveillon de Noël, le repas débutait avec un jus de tomate et des biscuits tartinés de fromage aux olives, au poivron rouge, aux cornichons et à la ciboule. Une fois les bouchées dégustées, les agapes se poursuivaient.

Branches de céleri farcies au fromage et aux noix

Pour 8 personnes /
Préparation : 10 min

8 belles branches de céleri, bien parées
250 g (1/2 lb) de fromage à la crème ou de gruyère à tartiner
90 ml (6 c. à soupe) de noix de Grenoble ou de pacanes, concassées
1 soupçon de poivre de Cayenne
Sel et poivre du moulin, au goût

Mélanger les noix et le poivre de Cayenne au fromage ; saler et poivrer au goût.

Farcir les branches de céleri que l'on taillera ensuite en petites bouchées. Conserver au frais jusqu'au moment de servir.

Couronne d'œufs en gelée

Pour 6 personnes /
Préparation : 20 min /
Cuisson : bouillon, 1 h /
Réfrigération : bouillon, 1 nuit —
couronne d'œufs en gelée, 3 à 4h

GARNITURES :
6 à 8 petits œufs
Feuilles de cresson
IMPORTANT : la gelée se prépare la veille.

GELÉE :
500 ml (2 tasses) de consommé de bœuf
500 ml (2 tasses) de bouillon de volaille
500 ml (2 tasses) d'eau de source
1 carotte, coupée en tronçons
1 branche de céleri, coupée en morceaux
1 oignon, piqué de **4** clous de girofle
1 brindille de chaque herbe : persil et thym
2 gousses d'ail, écrasées avec leur pelure
1 pincée de sel au besoin, en fin de cuisson
60 ml (1/4 tasse) de xérès (sherry)
2 sachets de gélatine neutre, dissoute dans un peu d'eau tiède

Verser le consommé, le bouillon et l'eau dans une casserole ; ajouter tous les autres ingrédients, sauf le sel. Mijoter jusqu'à l'obtention d'un litre de liquide. Filtrer la préparation dans un coton ; jeter les ingrédients cuits ; parfumer le bouillon au xérès ; rectifier l'assaisonnement ; dissoudre la gélatine dans un peu d'eau tiède et incorporer au liquide. Réfrigérer le bouillon de 8 à 10 heures (1 nuit) dans un moule à couronne.

Quand la gelée est prise, en fondre un peu à feu doux et napper le fond d'un moule à couronne de cette gelée liquéfiée ; réfrigérer jusqu'à la prise de la gelée. Passer un petit bouquet de cresson sous l'eau chaude ; l'égoutter ; prélever des feuilles et les presser une à une entre deux feuilles de papier absorbant. Puis, les tremper une à la fois dans un peu de gelée et les disposer à la surface de la gelée prise dans le moule. Placer le dessus des feuilles de cresson vers le fond du moule, une fois la couronne retournée, le joli côté sera face vers le haut.

Recouvrir encore d'un peu de gelée ; faire prendre à nouveau. Entre chaque rangée de feuilles placées dans le moule, déposer une rangée d'œufs durs ; recouvrir en entier de gelée tiède ; réfrigérer quelques heures.

Placer un linge mouillé à l'eau chaude et essoré autour du moule avant de retourner les œufs en gelée dans un beau plat de service.

Mini brochettes d'oignon, de jambon et de cheddar

Pour 8 personnes /
Préparation : 20 min

24 cure-dents de fantaisie ou petits bâtonnets à cocktail
48 olives farcies au poivron rouge
24 cubes de fromage cheddar
24 petits oignons au vinaigre
24 cubes de jambon fumé (de la même grosseur que les cubes de fromage), prélevés sur une pièce de viande déjà cuite
10 ml (1 c. à thé) de paprika

Monter les mini brochettes de la façon suivante : une olive, un cube de fromage, un petit oignon, un cube de jambon et une autre olive pour terminer.

Disposer les mini brochettes sur un plat de présentation. Les saupoudrer de paprika.

Calculer 3 mini brochettes par personne lors de l'apéritif.

Cretons à l'ancienne

Pour environ 6 personnes /
Préparation : 20 min /
Cuisson : 1 h

500 g (1 lb) de porc gras, haché
1 kg (2 lb) de porc maigre, haché
2 oignons, hachés fin
3 gousses d'ail, hachées fin
1 pincée de thym
1 pincée de sauge en poudre
1 feuille de laurier
1 pincée de piment de la Jamaïque moulu
Sel et poivre frais du moulin, au goût
375 ml (1 1/2 tasse) d'eau de source
60 ml (1/4 tasse) de chapelure

Faire fondre le gras dans une marmite ; ajouter le porc, les oignons, l'ail, le thym, la sauge, la feuille de laurier, le piment de la Jamaïque, le sel et le poivre.

Verser l'eau ; ajouter la chapelure ; cuire à feu doux, à découvert, durant 1 heure. Vérifier l'assaisonnement et rectifier au besoin. Mettre dans des moules et laisser refroidir.

Les cretons demeurent l'un des plus authentiques mets québécois. La recette apparaît dans les écrits des Ursulines de Québec, et l'origine française des cretons est indéniable. On les prépare différemment d'une région à l'autre. À Québec, ils ont davantage la texture de rillettes, tandis qu'à Montréal, ils présentent des granules de viande.

Mousse de foie de volaille

Pour 8 à 10 personnes /
Préparation : 25 min /
Réfrigération : environ 6 h /
Cuisson : 8 à 10 min

1 petit oignon, haché fin
2 gousses d'ail, hachées fin
30 ml (2 c. à soupe) de beurre
15 ml (1 c. à soupe) d'huile
500 g (1 lb) de foie de volaille
30 ml (2 c. à soupe) de persil frais, haché
1 pincée de sarriette ou de thym
2 jaunes d'œufs
60 ml (1/4 tasse) de crème 35 %
30 ml (2 c. à soupe) de beurre
Sel et poivre du moulin, au goût

Dans une poêle, faire colorer l'oignon et l'ail au beurre et à l'huile ; ajouter le foie de volaille et cuire environ 6 minutes en remuant. Ajouter les herbes.

Délayer les jaunes d'œufs dans la crème et verser sur le foie ; porter doucement à ébullition, puis retirer du feu aussitôt.

Passer la préparation au robot culinaire ou au mélangeur, en incorporant le beurre. Goûter et rectifier l'assaisonnement. Verser dans des ramequins ou d'autres petits contenants ; couvrir d'un papier ciré ou d'une pellicule de plastique. Réfrigérer pendant quelques heures avant de servir. Présenter chaque portion dans son ramequin respectif, ou démouler dans des assiettes de service, et accompagner de tranches de pain de campagne, de pain grillé ou de biscottes, avec des petits cornichons et votre moutarde préférée.

Tête fromagée de tante Alma

Pour 8 personnes /
Préparation : 25 min /
Cuisson : 2 h 15 /
Réfrigération : 3 h

1 tête de porc, lavée et nettoyée (ou **6** pattes de porc)
6 clous de girofle
12 grains de piment de la Jamaïque
6 baies de genièvre
30 ml (2 c. à soupe) d'herbes salées
2 carottes, râpées moyen
2 l (8 tasses) d'eau chaude

Envelopper la tête de porc ou les pattes dans un grand coton ; ficeler ou coudre l'ouverture afin de bien sceller. Déposer dans une grande marmite avec tous les autres ingrédients. Verser l'eau chaude dans la marmite ; porter à ébullition et cuire à feu doux durant 2 heures.

Retirer la tête de porc ou les pattes de la marmite ; enlever le coton. Désosser la tête ou les pattes ; hacher la viande moyennement au couteau ; déposer les os dans le bouillon chaud ; laisser mijoter 5 minutes. Passer le bouillon ; retirer les os et les assaisonnements. Remettre la marmite sur le feu ; y verser le bouillon ; ajouter la viande hachée. Laisser mijoter environ 8 minutes.

Verser la préparation dans des moules en verre ou en terre cuite. Réfrigérer environ 3 heures, ou jusqu'à ce que la gelée soit bien prise.

À l'époque où le Québec était plus rural qu'urbain, chaque famille « tuait le cochon » à la fin de l'automne. Un cérémonial qui permettait de faire des provisions pour l'hiver. La tête fromagée n'est qu'une des précieuses denrées préparées avec le porc car, comme on le disait, dans le cochon tout est bon !

Mini tourtières au lièvre

Pour 20 mini tourtières /
Préparation : 1 h /
Macération : 1 nuit /
Cuisson : 40 min

IMPORTANT : la veille, ne pas oublier de faire mariner le lièvre.

1 lièvre de **1 à 1,5 kg (2 à 3 lb)**, coupé en morceaux
Huile d'arachide ou de tournesol (pour faire revenir les ingrédients)
500 g (1 lb) de porc mi-maigre, haché
500 g (1 lb) de veau, haché
8 tranches de bacon, coupées en fines lanières de 0,5 cm (1/4 po)
1 gros oignon, émincé fin
1 carotte, coupée en brunoise (en dés minuscules)
1 branche de céleri, coupée en brunoise
6 gousses d'ail, hachées fin
60 ml (1/4 tasse) de persil, haché fin
5 ml (1 c. à thé) de graines de céleri
250 ml (1 tasse) d'eau, de cidre, de vin rouge ou de fond de gibier
125 ml (1/2 tasse) de chapelure bien dorée
60 ml (1/4 tasse) de farine
750 g (1 1/2 lb) de pâte brisée ou feuilletée (maison ou du commerce)
Sel et poivre du moulin, au goût
1 jaune d'œuf délayé dans **15 ml (1 c. à soupe)** de lait, pour dorer la pâte

MARINADE :
500 ml (2 tasses) de vin rouge
1 carotte moyenne, coupée en rondelles
3 oignons, hachés fin
5 ml (1 c. à thé) de piment de la Jamaïque moulu
2,5 ml (1/2 c. à thé) de sarriette
5 ml (1 c. à thé) de poivre du moulin

La veille : mélanger les ingrédients de la marinade dans un bol. Y faire mariner les morceaux de lièvre toute la nuit.

Le lendemain : faire dorer les lanières de bacon dans une poêle avec un peu d'huile, jusqu'à ce qu'elles soient croustillantes ; retirer et réserver en conservant le gras dans la poêle.

Préchauffer le four à 180 °C (350 °F). Éponger, enfariner et dorer les morceaux de lièvre dans le gras de bacon (ajouter de l'huile au besoin) ; retirer. Porter les ingrédients de la marinade à ébullition dans une marmite ; écumer. Ajouter les morceaux de lièvre, couvrir ; cuire au four 1 h 45.

Dans une casserole, faire revenir dans l'huile les viandes hachées, le bacon croustillant, la carotte, le céleri, l'oignon, l'ail, le persil et les graines de céleri. Y verser l'eau, le vin ou le cidre ; laisser réduire. Ajouter la chapelure, le sel, le poivre et bien mélanger ; cesser la cuisson.

Désosser et couper les morceaux de lièvre en dés ; les ajouter aux viandes. Passer le jus de cuisson au tamis ; faire réduire à feu vif, jusqu'à ce qu'il ne reste qu'une demi-tasse ; verser le liquide chaud sur les viandes. Mélanger ; ajouter un peu de chapelure au besoin ; rectifier l'assaisonnement.

Abaisser la pâte brisée ; beurrer des moules à tartelettes et les foncer de pâte. Remplir généreusement chaque tartelette de farce à la viande ; recouvrir d'une abaisse et sceller ; pratiquer des incisions au couteau à la surface de la pâte. Badigeonner la surface des mini tourtières à l'aide d'un pinceau trempé dans le mélange lait-œuf. Cuire au four 40 minutes ou jusqu'à belle dorure.

En Acadie (1604) et en Nouvelle-France (1608), le colon trouve des forêts giboyeuses et des cours d'eau poissonneux. Les plats quotidiens sont alors composés de gibier. Il n'est pas étonnant que Samuel de Champlain ait fondé en 1605, à Port-Royal, en Acadie, la première association gastronomique d'Amérique... L'Ordre de Bon Temps.

Terrine campagnarde au vin blanc

Pour 2 terrines /
Préparation : 1 h /
Cuisson : 3 h /
Refroidissement : 2 h /
Réfrigération : 24 h

2 à 3 jarrets de porc viandeux, dans la partie du haut
500 g (1 lb) de porc maigre, haché
375 g (3/4 lb) de veau (poitrine ou autre), haché
500 g (1 lb) de foie de porc, haché gros
250 g (1/2 lb) de foie de volaille, nettoyé, coupé en gros morceaux
60 ml (1/4 tasse) de beurre
6 échalotes françaises, hachées fin
4 gousses d'ail, hachées fin
125 ml (1/2 tasse) de vin blanc
60 ml (1/4 tasse) de cognac
250 ml (1 tasse) de noisettes
45 ml (3 c. à soupe) de crème 35 %
2 œufs
10 ml (2 c. à thé) de jus de citron
15 ml (1 c. à soupe) de macis en poudre
10 ml (2 c. à thé) de piment de la Jamaïque moulu
20 ml (4 c. à thé) de sel
5 ml (1 c. à thé) de poivre
Bardes de lard, pour foncer les moules et recouvrir le pâté
Feuilles de laurier

Préchauffer le four à 180 °C (350 °F). Retirer la couenne des jarrets de porc et les désosser ; couper la chair en dés minuscules ; réserver. Éliminer les nerfs des morceaux de porc et de veau ; couper la viande et la passer au hachoir (sinon, couper finement au couteau). Mélanger ces viandes dans un bol.

Faire revenir dans une poêle, avec la moitié du beurre, les échalotes et l'ail ; arroser de vin ; verser le tout sur les viandes. Mettre le beurre restant dans la poêle ; y faire revenir le foie de volaille ; le conserver rosé ; l'ajouter aux viandes du bol avec les noisettes, la crème, le cognac, les œufs, le jus de citron, le macis et le piment de la Jamaïque ; saler et poivrer. Mélanger.

Graisser les moules ; les foncer de bardes de lard. Y verser le mélange en le tassant bien ; recouvrir la préparation de bardes, puis de laurier. Couvrir le moule ; s'il ne possède pas de couvercle, le recouvrir d'une feuille de papier d'aluminium. Déposer le moule au centre d'une rôtissoire ; y verser tout autour de l'eau très chaude. Cuire environ 2 heures 30 minutes. Retirer le couvercle ; cuire encore 30 minutes. Introduire la lame d'un couteau pour vérifier si la terrine est cuite (la lame doit en ressortir propre). Retirer la terrine du four ; la refroidir 2 heures à la température ambiante. Dégraisser la surface de la terrine. Réfrigérer 24 heures. Accompagner la terrine de bon pain de campagne, ainsi que de marinades et de condiments de votre choix.

Ce pâté campagnard, apport de la gastronomie française à la cuisine du Québec, est une terrine savoureuse convenant aux tables festives et champêtres.

Marinades

À la fin de l'été, en août et septembre, on préparait les conserves et les marinades pour l'hiver. Ce rituel se déroulait dans chaque famille rurale, puisque chacune avait son potager. La coutume persiste encore en ville, où l'achat de cageots de fruits et de légumes, à prix abordable en cette période d'abondance, permet de confectionner des marinades et des conserves variées.

Dans toutes les régions québécoises, nos mères entreposaient leurs précieux bocaux à la cave ou au garde-manger, ou dans un endroit sombre et frais de la maison. Ces marinades, prêtes juste à temps pour les fêtes, servaient d'accompagnements aux tourtières, ragoûts et autres plats traditionnels.

Pommettes aigres-douces

Donne 8 pots /
Préparation : 30 min /
Cuisson : sirop et pommettes, environ 1 h

2 kg (4 lb) de pommettes
Clous de girofle
2 l (8 tasses) de vinaigre blanc à marinade
1,5 l (6 tasses) de sucre blanc
6 bâtons de cannelle, coupés en deux
1 racine de gingembre frais, pelé et coupé en fines lanières
8 morceaux d'anis étoilé (badiane)

Laver les pommettes à l'eau froide ; égoutter et assécher avec un linge. Conserver leur queue ; retirer leur sépale (à l'opposé de la queue) afin d'y introduire un clou de girofle (utiliser un clou par pommette).

Verser le vinaigre et le sucre dans une marmite avec quatre demi-bâtons de cannelle. Laisser frémir 5 minutes pour constituer un sirop aigre-doux. Y plonger une douzaine de pommettes à la fois ; les cuire environ 15 minutes. Déposer les pommettes attendries dans les pots stérilisés, sans le sirop ; opérer de la même façon pour les pommettes restantes (12 à la fois, 15 minutes de cuisson, et mise en pot). Déposer dans chaque pot un demi-bâton de cannelle, des lanières de gingembre et un morceau de badiane.

Mouiller les pommettes de sirop aigre-doux jusqu'au rebord. Bien sceller chaque pot. Entreposer dans un endroit sombre et frais.

Concombres glacés (Bread and Butter)

Pour 4 pots /
Préparation : 30 min /
Dégorgement : 4 h /
Cuisson : 2 min

1 douzaine de petits concombres, lavés (pelure conservée), coupés en tranches fines de 0,5 cm (1/4 po) d'épaisseur
3 gros oignons tranchés en fines rondelles
125 ml (1/2 tasse) de sel
815 ml (3 1/4 tasses) de vinaigre blanc
750 ml (3 tasses) de sucre
60 ml (1/4 tasse) de graines de moutarde
30 ml (2 c. à soupe) de graines de céleri
1 pincée de poivre de Cayenne

Mélanger dans un bol les tranches de concombres, les rondelles d'oignon et le sel ; laisser dégorger 4 heures. Égoutter, rincer à l'eau froide et égoutter de nouveau.

Mettre dans une casserole le vinaigre, le sucre, les graines de moutarde et de céleri, ainsi que le poivre de Cayenne ; amener à ébullition, ajouter les concombres et les oignons. Mijoter 2 minutes ; les légumes doivent demeurer croquants.

Partager les marinades dans 4 pots de 400 ml avec un peu de vinaigre de cuisson.

Ces cornichons aigres-doux viennent incontestablement d'une recette anglaise. L'appellation Bread and Butter rappelle qu'autrefois ils se dégustaient avec du bon pain et du beurre.

Catsup aux tomates vertes

Pour 6 pots /
Préparation : 40 min /
Dégorgement : 3 h /
Cuisson : 1 h

24 tomates vertes, le cœur retiré, coupées en quartiers
Gros sel
5 gros oignons, hachés grossièrement
3 carottes, pelées, coupées en petits dés
1 poivron vert, épépiné, coupé en petits dés
1 poivron rouge, épépiné, coupé en petits dés
4 branches de céleri, coupées en petits dés
4 pommes, pelées, épépinées et coupées en cubes
1 l (4 tasses) de sucre (un peu moins, si désiré)
1 l (4 tasses) de vinaigre blanc
90 ml (6 c. à soupe) d'épices à marinade, placées dans un coton à fromage ficelé
Paraffine

Disposer les quartiers de tomates en plusieurs couches dans une passoire, et la placer dans l'évier ; saupoudrer de gros sel. Dégorger les tomates environ 3 heures. Rincer sous l'eau froide et égoutter.

Déposer dans une grande marmite les tomates et les autres ingrédients préparés. Cuire environ 1 heure ; remuer à quelques reprises durant la cuisson. Le catsup doit réduire du quart de son volume.

Stériliser des pots et les remplir. Une fois les pots refroidis, faire fondre de la paraffine et en verser une petite quantité dans chacun ; y placer un petit bout de ficelle et laisser bien prendre la paraffine avant de mettre les couvercles.

Conserver au frais dans un endroit sombre. Ce catsup peut accompagner ragoûts, tourtes, viandes froides, hachis, etc.

Catsup aux tomates rouges

Pour 4 à 5 pots de 1 l /
Préparation : 1 h 30 /
Cuisson : environ 1 h 30

24 grosses tomates mûres, blanchies, pelées et coupées en morceaux
6 pommes Cortland, pelées et coupées en cubes
6 gros oignons, tranchés en rondelles minces
1 pied de céleri avec feuilles, ébranché, lavé et coupé en dés
60 ml (1/4 tasse) d'épices à marinade, placées dans un coton à fromage ficelé
10 ml (2 c. à thé) de sel
2,5 ml (1/2 c. à thé) de clou de girofle moulu
2,5 ml (1/2 c. à thé) de gingembre moulu
500 ml (2 tasses) de vinaigre blanc
375 ml (1 1/2 tasse) de sucre
Paraffine

Déposer les tomates, les pommes, les oignons et le céleri dans une casserole. Ajouter les épices à marinade, le sel, le clou de girofle, le gingembre et le vinaigre.

Faire bouillir 1 heure ; ajouter le sucre et continuer la cuisson en remuant régulièrement et souvent, jusqu'à consistance épaisse. Retirer les épices à marinade et verser dans des pots stérilisés ; paraffiner. Fermer hermétiquement.

Catsup aux tomates et aux fruits

Pour 10 pots de 1 l /
Préparation : 1 h 30 /
Cuisson : 1 h 15

36 tomates mûres
10 pêches
12 pommes, pelées et coupées en cubes
12 poires, pelées et coupées en cubes
4 gros oignons, tranchés minces
1 pied de céleri, coupé en petits dés
15 ml (1 c. à soupe) de gros sel
60 ml (1/4 tasse) d'épices à marinade, enveloppées dans du coton à fromage
500 ml (2 tasses) de vinaigre blanc
750 ml (3 tasses) de sucre
Paraffine

Retirer le cœur des tomates et faire une incision en forme de X à leur base. Faire blanchir dans l'eau bouillante, le temps de décoller la peau ; égoutter et laisser rafraîchir ; peler et couper en morceaux. Faire de même avec les pêches.

Mettre les fruits et les légumes dans une casserole ; ajouter le vinaigre, le sel et les épices à marinade enveloppées dans du coton à fromage. Faire bouillir 1 heure. Ajouter le sucre et continuer la cuisson en remuant fréquemment, jusqu'à belle consistance.

Retirer le sachet d'épices et mettre le catsup dans des pots stérilisés ; couvrir de paraffine et fermer hermétiquement.

Betteraves au vinaigre épicé

Pour 3 pots de 1 l /
Préparation : 1 h /
Cuisson : 50 min /
Repos : 12 h

15 betteraves
Eau bouillante
500 ml (2 tasses) de vinaigre blanc
5 ml (1 c. à thé) de thym
1 feuille de laurier
8 clous de girofle
12 grains de poivre

Bien nettoyer les betteraves et les cuire à l'eau bouillante. Les égoutter, les rafraîchir, puis les peler et les couper en tranches de 0,5 cm (1/4 po) ou en cubes. Les mettre dans un bol ; réserver.

Chauffer le vinaigre avec les herbes et les épices. Verser sur les betteraves ; laisser reposer une nuit. Égoutter ; disposer les betteraves dans des pots stérilisés ; passer le vinaigre au tamis et le chauffer au point d'ébullition ; verser sur les betteraves.

Cornichons au vinaigre et à l'aneth

Pour 4 pots de 1 l /
Préparation : 1 h /
Macération : 1 mois

6 l (24 tasses) d'eau
500 ml (2 tasses) de gros sel
2 l (8 tasses) de vinaigre blanc
24 cornichons frais, lavés à l'eau, égouttés et essuyés
4 branches entières de fenouil ou d'aneth
8 gousses d'ail, coupées en lamelles
Grains de poivre entiers
Épices à marinade

Amener à ébullition l'eau additionnée de gros sel. Refroidir et y verser le vinaigre blanc.

Déposer les cornichons préparés dans des pots préalablement stérilisés et ajouter des branches de fenouil ou d'aneth, des lamelles d'ail, des grains de poivre et des épices à marinade. Recouvrir du liquide préparé pour les cornichons.

Entreposer un mois avant l'utilisation. Conserver dans un endroit sombre et frais.

Rondelles d'oignon marinées

Pour 2 pots /
Préparation : 40 min /
Réfrigération : 24 h

4 gros oignons blancs, coupés en fines rondelles
2 gros oignons rouges, coupés en fines rondelles
125 ml (1/2 tasse) de vinaigre blanc
Sel et poivre du moulin
1 soupçon de moutarde sèche
1 citron : le jus
185 ml (3/4 tasse) d'huile de maïs
2,5 ml (1/2 c. à thé) de sarriette

Mélanger dans un bol le vinaigre, le sel, le poivre, la moutarde sèche et le jus de citron ; fouetter le mélange pour faire fondre le sel, puis incorporer l'huile de maïs, toujours en fouettant. Mettre les rondelles d'oignons dans la vinaigrette et saupoudrer de sarriette ; bien mélanger les ingrédients sans briser les rondelles.

Réfrigérer 24 heures avant de servir ou de mettre en pots.

Grand amateur de ces oignons marinés, mon père aimait les préparer pour accompagner les charcuteries et les viandes froides.

Cornichons sucrés

Pour 4 pots de 1 l /
Préparation : 45 min /
Repos : 8 h

1,5 kg (3 lb) de petits concombres, lavés et tranchés en rondelles de 0,5 cm (1/4 po)
2 l (8 tasses) d'eau bouillante
125 ml (1/2 tasse) de gros sel
1 l (4 tasses) de vinaigre de cidre
1 l (4 tasses) de cassonade
30 ml (2 c. à soupe) de clous de girofle
5 ml (1 c. à thé) de graines de céleri
2 feuilles de laurier

Chauffer l'eau et le sel et en recouvrir les rondelles de concombres ; laisser reposer 8 heures. Égoutter et rincer plusieurs fois. Tasser les petits concombres dans des pots en verre ; réserver.

Faire bouillir pendant 10 minutes le vinaigre, la cassonade et les épices enveloppées dans un coton à fromage. Égoutter ; retirer le coton à fromage contenant les épices et verser le liquide encore bouillant sur les concombres. Laisser refroidir et fermer hermétiquement.

Petits oignons marinés

*Pour 4 pots de 400 ml /
Préparation : 1 h 30 /
Repos : 12 h*

1 l (4 tasses) de petits oignons blancs
1 l (4 tasses) d'eau bouillante
90 ml (1/3 tasse) de gros sel
500 ml (2 tasses) de vinaigre blanc
180 ml (3/4 tasse) de sucre
1 bâton de cannelle

Ébouillanter les oignons 1 minute ; les égoutter et les couvrir d'eau froide. Les peler, puis les réserver dans de l'eau contenant des cubes de glace (cela empêche la décoloration et raffermit les oignons).

Déposer les oignons dans un bol ; chauffer l'eau et le sel ; verser ce liquide sur les oignons et laisser reposer 12 heures. Égoutter et réserver.

Faire bouillir le vinaigre, le sucre et le bâton de cannelle. Ajouter les oignons et faire bouillir 1 minute. Retirer le bâton de cannelle ; égoutter, puis disposer les oignons dans des pots et les recouvrir du liquide bouillant. Fermer hermétiquement.

Soupes

Dans la tradition culinaire québécoise, la soupe est un incontournable. Depuis la fondation de la Nouvelle-France, la soupe amorçait le repas du midi et du soir. On dénombre au Québec des centaines de consommés, soupes, potages, crèmes et veloutés dont les compositions sont changeantes selon les régions.

La soupe a des effets réconfortants et revigorants. Autrefois, on donnait volontiers de généreuses bolées de bouillon ou de consommé aux grippés, aux fiévreux et autres malades. La soupe est particulièrement appréciée l'hiver, elle permet de se réchauffer de façon délectable.

La soupe nationale du Québec a longtemps été la soupe aux pois jaunes. Mais, il ne faudrait pas oublier d'autres préparations fort populaires dans les familles, telles que les soupes aux légumes, au riz, au chou, aux tomates, aux vermicelles et même aux pâtes. Dans la péninsule gaspésienne, aux Îles-de-la-Madeleine, sur la Côte-Nord, dans le Bas-du-Fleuve, aux îles de Sorel et au Saguenay, s'ajoutent des soupes composées de poissons, de fruits de mer et de gibiers.

Bouillons, fumets et garnitures

Dans les campagnes, où l'on faisait boucherie, les os de bœuf (à moelle) s'utilisaient au quotidien pour apprêter les bouillons servant de base aux soupes et aux consommés. Une fois que les os avaient mijoté dans l'eau avec de l'oignon, du persil, des feuilles de céleri et des carottes, le bouillon était passé. À la marmite contenant le bouillon s'ajoutaient alors les garnitures désirées : légumes du potager (« soupe du cultivateur ») en été ; au chou ainsi qu'aux tomates de conserve et au riz en hiver. Dans tous les cas, l'usage d'herbes salées était un complément obligé. Bref, les garnitures utilisées pour les soupes québécoises étaient infiniment variées.

Le lard salé est indissociable de chaque bonne soupe aux pois. Une fois la « brique de lard » cuite, nos aïeuls aimaient déguster ce morceau de choix avec du bon pain de campagne et de la moutarde. Le lard salé entrait dans la composition de tous les bons bouillons. Dans les soupes à base de poisson ou de gibier, c'est la carcasse de l'un ou de l'autre qui agrémentait le fumet ou le fond. Enfin, les carcasses de volaille permettaient également de préparer de savoureux bouillons.

Comment dégraisser un bouillon

Il est facile de dégraisser un bouillon. Après l'avoir passé au tamis, le refroidir au réfrigérateur. La couche de graisse qui se forme alors à la surface se retire aisément à l'aide d'une écumoire. Il ne vous reste plus qu'à préparer votre soupe préférée.

Soupe à l'orge et au bœuf

Pour 8 à 10 personnes /
Préparation : 20 min /
Cuisson : 1 h 30

1 jarret de bœuf
3 l (12 tasses) d'eau de source
2 oignons, hachés fin
125 ml (1/2 tasse) d'orge perlé
1 carotte, coupée en brunoise (en dés minuscules)
1 branche de céleri, coupée en brunoise
1 pincée de thym
1 pincée de romarin
1 feuille de laurier

Porter l'eau à ébullition avec le jarret ; écumer. Ajouter les oignons et les herbes ; cuire 30 minutes.

Ajouter l'orge ; laisser mijoter 1 heure. Incorporer la carotte et le céleri 20 minutes avant la fin de la cuisson. Ajouter de l'eau au besoin.

Retirer le jarret et le désosser. Couper la viande en dés, puis les ajouter au bouillon. Saler et poivrer.

La soupe à l'orge, d'origine anglaise, devient un repas au temps des récoltes si on lui ajoute des haricots, des carottes, du navet, des dés de pommes de terre, des gourga-nes (fèves des marais), du chou râpé, des pois et du maïs égrené. Les herbes salées donnent un bon arôme à la soupe.

Soupe à l'ivrogne

Préparation : 5 min /
Cuisson : 12 min

1/2 baguette de pain français rassis (coupée en cubes)
50 g (2 c. à soupe) de graisse d'oie ou végétale
250 ml (1 tasse) de vin blanc
250 ml (1 tasse) de bouillon de volaille
250 ml (1 tasse) de lait chaud
Sel et poivre du moulin
Queues d'oignons verts (échalotes), hachées
15 ml (1 c. à soupe) de persil, haché fin

Dans une casserole, colorer les cubes de pain dans la graisse d'oie. Verser le vin blanc
et le bouillon ; laisser mijoter 10 minutes. Ajouter le lait chaud ; saler et poivrer ; verser
dans une soupière. Saupoudrer de queues d'oignons verts et de persil.

Soupe aux huîtres de Noël

Pour 6 personnes /
Préparation : 20 min / Cuisson : 10 min

36 huîtres crues (dans leur coquille)
4 oignons verts (échalotes), hachés fin
1 carotte, coupée en brunoise (en dés minuscules)
Feuilles de céleri, hachées fin
1 gousse d'ail, hachée fin
2 tiges de persil, hachées fin
60 ml (4 c. à soupe) de beurre
15 ml (1 c. à soupe) d'huile de maïs ou de tournesol
60 ml (1/4 tasse) de vin blanc ou de cidre sec
125 ml (1/2 tasse) de fumet de poisson ou de lait
2 l (8 tasses) de lait
Sel et poivre du moulin
12 craquelins salés (biscuits soda), écrasés grossièrement
Paprika

Ouvrir les huîtres et les passer au tamis pour récupérer leur jus dans un contenant ; retirer des huîtres les éclats de coquille ; réserver. Dans une grande poêle, faire revenir dans le beurre et l'huile les oignons verts, la carotte, les feuilles de céleri, ainsi que l'ail et le persil. Faire suer les légumes 5 minutes. Ajouter le vin blanc ; porter à ébullition. Y pocher les huîtres 30 secondes, les sortir et les égoutter. Réserver les huîtres pochées pour la toute fin.

Verser le fumet et le lait dans une casserole ; porter au point d'ébullition sans bouillir. Saler et poivrer. Disposer 6 huîtres en couronne dans chaque assiette à potage et y verser le liquide bouillant. Saupoudrer de craquelins écrasés et de paprika. Servir aussitôt la soupe, accompagnée de craquelins salés.

Les recueils de cuisine du XIXe siècle témoignent du grand usage des huîtres par les Québécois : steak aux huîtres, dinde farcie aux huîtres, sauce aux huîtres, etc. Avant que les eaux du Saint-Laurent ne soient polluées, il y avait des huîtres là où l'eau du fleuve était salée. Dans un ouvrage écrit en 1878 par la révérende mère Caron, celle-ci suggère de pocher les huîtres dans un consommé de lièvre !

Soupe aux pois à l'ancienne

Pour 10 personnes /
Préparation : 25 min /
Trempage : 1 nuit /
Cuisson : 2 h

500 g (1 lb) de pois jaunes séchés
3 l (12 tasses) d'eau
15 ml (1 c. à soupe) de beurre
15 ml (1 c. à soupe) d'huile
3 oignons, hachés fins
2 carottes, coupées en brunoise (en dés minuscules)
1 branche de céleri avec ses feuilles, coupée en brunoise
250 g (1/2 lb) de lard salé
2 feuilles de laurier
60 ml (4 c. à soupe) de persil, haché fin
2,5 ml (1/2 c. à thé) de sarriette
Poivre moulu, au goût

La veille : laver et trier les pois ; les mettre à tremper 1 nuit dans 3 l d'eau.

Le lendemain : égoutter les pois. Faire revenir dans une grande casserole les oignons, les carottes et le céleri dans le beurre et l'huile. Ajouter les pois et 12 tasses d'eau fraîche, puis le lard salé, les feuilles de laurier, le persil et la sarriette.

Laisser mijoter 2 heures, ou jusqu'à ce que les pois soient tendres.

Consommé de canard au vermicelle

*Pour 8 à 10 personnes /
Préparation : 25 min /
Cuisson : 1 h 30 min*

3 l (12 tasses) d'eau de source
Sel et poivre, au goût
1 carcasse de canard viandeuse ou non (avec cou, gésier et bouts d'ailes)
1 carotte, coupée en morceaux
1 branche de céleri, coupée en morceaux
1 gros oignon, haché
2 gousses d'ail, émincées
6 queues de persil, hachées fin
1 feuille de laurier
1 pincée de chaque herbe : sarriette, thym, marjolaine, sauge et romarin
60 ml (4 c. à soupe) de vermicelle
Croûtons, au goût (facultatif)

Faire mijoter l'eau avec tous les ingrédients (sauf le vermicelle et les croûtons), à feu doux durant 1 heure 30 minutes.

Passer au tamis ; refroidir. Dégraisser le consommé et le ramener à ébullition ; rectifier l'assaisonnement. Ajouter le vermicelle ; cuire 1 minute ; ajouter un peu d'eau au besoin. Accompagner de croûtons.

Ce consommé – réputé être la panacée idéale pour apaiser la toux et la grippe – se prépare également avec une carcasse d'oie, de faisan, de perdrix ou de pintade. La poule donne aussi un excellent résultat.

Consommé de bœuf

Pour 8 personnes /
Préparation : 10 min /
Cuisson : 2 à 3 h

5 os à moelle légèrement viandeux
4 l (16 tasses) d'eau de source
675 g (1 1/2 lb) de jarrets de bœuf, coupés en morceaux
1 gros oignon
1 grosse carotte
1 feuille de laurier
4 blancs d'œufs, battus en omelette
Sel et poivre (en fin de cuisson)

Déposer les os dans une rôtissoire ; les faire colorer au four à 240 °C (475 °F) ; les os doivent être d'un beau brun. Dans une grande marmite, les mettre à mijoter lentement dans l'eau légèrement bouillonnante durant quelques heures.

Ajouter les morceaux de jarrets, l'oignon, la carotte et la feuille de laurier. Laisser réduire le liquide du tiers ; incorporer les blancs d'œufs pour clarifier le bouillon. Laisser mijoter 1 heure.

Passer le consommé dans plusieurs épaisseurs de coton à fromage ; saler et poivrer. Refroidir et conserver au frais jusqu'à utilisation. Réchauffer le consommé au moment de servir.

Les os donnent beaucoup de saveur au bouillon. Pour le consommé en gelée, réduire davantage le liquide. Une fois le bouillon dégraissé et refroidi, y incorporer un peu de gélatine, s'il ne prend pas suffisamment. Quand il est froid, ce consommé en gelée est taillé en dés minuscules avant d'être servi. Pour un consommé d'une belle teinte ambrée, brunir les os au four avant de les mettre à bouillir.

Velouté de poireaux à l'écossaise

Pour 6 à 8 personnes /
Préparation : 20 min /
Cuisson : bouillon, 2 h 30 – soupe, 30 min

1 poule d'environ **1,5 kg (3 lb)**, nettoyée, dégraissée (avec cou, gésier et foie)
3 l (12 tasses) d'eau de source froide
6 poireaux nettoyés, coupés en lamelles
60 ml (4 c. à soupe) de beurre
30 ml (2 c. à soupe) de farine
1 douzaine de pruneaux, dénoyautés
500 ml (2 tasses) de lait
Sel et poivre du moulin

Dans une marmite, déposer la poule et ses abattis avec l'eau froide et les poireaux ; cuire quelques heures en laissant mijoter lentement à découvert.

Retirer la poule ; refroidir. Retirer la peau, désosser et couper la chair en cubes ; réserver.

Mélanger le beurre ramolli et la farine ; ajouter ce beurre manié au bouillon. Incorporer les pruneaux ; laisser frémir la soupe 30 minutes.

Ajouter le lait ; le liquide ne doit pas bouillir, mais être chauffé ; incorporer la viande. Saler et poivrer ; verser et présenter dans une soupière.

Ce classique plat écossais, l'un des plus beaux fleurons de la gastronomie universelle, se servait au Québec dans les familles venues d'Écosse qui avaient à cœur les traditions culinaires de leur pays d'origine. La poule, fort utilisée en cuisine à l'époque, entrait dans la préparation de plusieurs soupes et plats : poule au pot, poule au riz, potées, etc.

Soupe du bûcheron

Pour 4 personnes /
Préparation : 20 min /
Trempage : lard et fèves, 1 nuit /
Cuisson : 2 h 30

1,5 l (6 tasses) d'eau de source
6 pommes de terre, coupées en petits cubes
125 g (1/4 lb) de lard salé maigre, dessalé et coupé en petits cubes
60 ml (4 c. à soupe) d'huile ou de saindoux
1 morceau de chou-rave, émincé fin
4 petits navets (rabioles), coupés en petits dés
250 ml (1 tasse) de fèves blanches sèches (haricots blancs)
1 pincée de sarriette
60 ml (4 c. à soupe) d'herbes salées
Poivre, au goût

La veille : mettre le lard à dessaler dans de l'eau froide, et les fèves à tremper dans une autre eau.

Le lendemain : découper le lard en tranches, puis en petits cubes. Faire revenir les lardons avec l'huile dans une marmite. Mouiller les lardons d'eau de source ; cuire le tout 2 heures 30 minutes.

Ajouter le chou-rave, les navets, la sarriette et les herbes salées au bouillon. Rectifier l'assaisonnement lorsque les légumes sont cuits, ajouter les fèves. Servir avec des tranches de pain de ménage.

Légumes et salades

Les légumes d'accompagnement ou garnitures

Dans la tradition culinaire québécoise, les légumes ou garnitures accompagnant un plat varient selon la saison. À la fin de l'automne et en hiver, les pommes de terre, choux, carottes, navets, oignons et autres légumes entreposés au caveau permettaient d'avoir au moins une base de légumes frais. Les légumes, mis en conserve au fil des primeurs, complétaient l'ensemble de ces précieuses réserves.

Le retour des verdures printanières apportait un bouquet de fraîcheur aux plats. L'asclépiade, autrefois vendue en botte dans les marchés publics et qui s'apparente à l'asperge, suivait le chou gras, les laitues en feuilles, et autres. Le potager devenait de plus en plus productif et offrait à la table sa litanie de végétaux délectables : blé d'Inde (épis de maïs), petites fèves, carottes, poivrons, petits pois, oignons nouveaux, concombres, tomates, herbes et bien d'autres délices.

Les légumes cultivés à l'époque n'étaient pas aussi diversifiés qu'aujourd'hui. Mais, à la table de nos aïeuls, la générosité était toujours de mise. Chaque assiette de viande, de gibier et de poisson s'accompagnait de pommes de terre et d'au moins un légume.

Les salades

De la fin de l'automne jusqu'au printemps, les salades étaient rarement offertes lors d'un repas. Il arrivait parfois que l'on prépare une salade de chou ou de pommes de terre, ou même des oignons macérés au vinaigre et à l'huile, mais ces occasions étaient plutôt rares. Cependant, les plats d'hiver étant plus costauds, les ragoûts, rôtis et viandes braisées s'accompagnaient souvent de catsups, de cornichons, d'oignons et de betteraves marinées.

Au siècle dernier, durant les beaux jours, la laitue en feuilles était sans doute la plus prisée dans les campagnes québécoises. Cette laitue, cultivée dans tous les potagers, était apprêtée en salade, simplement rehaussée de ciboulette, de crème fraîche, de sel et de poivre. Toujours en belle saison, les crudités étaient sur toutes les tables... Radis, concombres, tiges d'oignons verts et tomates se présentaient alors dans une grande assiette de service, assaisonnés d'un peu de sel et de poivre.

Les salades combinées se dégustaient surtout en ville, où la diversité des légumes permettait une certaine variation. La salade préférée des Montréalais, et des Québécois, était la salade aux laitues, radis, tomates, concombre, pommes et oignons.

Mousseline de pommes de terre à la sarriette

Pour 6 à 8 personnes /
Préparation : 5 min /
Cuisson : 20 min

12 pommes de terre moyennes, pelées
45 ml (3 c. à soupe) de beurre
375 ml (1 1/2 tasse) de lait chaud
1 pincée de sarriette, au goût
Sel et poivre du moulin, au goût

Cuire les pommes de terre ; les réduire en purée. Mettre le beurre dans une casserole ; ajouter la purée de pommes de terre et y verser graduellement le lait chaud, en remuant constamment, puis assaisonner de sarriette, de sel et de poivre. La mousseline doit avoir une belle consistance crémeuse. Conserver dans un bain-marie jusqu'au moment de servir.

La mousseline est plus onctueuse et crémeuse que la purée. L'ajout de sarriette respecte la tradition culinaire québécoise. On peut ajouter des oignons verts hachés ou de la muscade râpée afin de rehausser davantage la saveur.

Riz de pommes de terre

Préparation : 5 min /
Cuisson : environ 15 min

5 grosses pommes de terre, pelées, coupées en cubes
500 ml (2 tasses) d'eau, légèrement salée
30 ml (2 c. à soupe) de beurre
Sel et poivre, au goût
45 ml (3 c. à soupe) de ciboulette, hachée fin

Cuire les cubes pommes de terre 15 minutes dans l'eau légèrement salée. Égoutter ; passer les pommes de terre au presse-purée au dessus d'un plat de service chaud. Façonner une cavité au centre du riz de pommes de terre ; y ajouter le beurre. Saler et poivrer la surface des pommes de terre ; saupoudrer de ciboulette hachée. Servir.

Cette recette de pommes de terre tellement simple était très populaire sur toutes les tables campagnardes. Son appellation lui vient de la texture que prend le légume une fois pressé au presse-purée.

Betteraves glacées au miel

Pour 8 personnes /
Préparation : 10 min /
Macération : 2 h /
Cuisson : environ 5 min

4 betteraves cuites
125 ml (1/2 tasse) de vinaigre de vin rouge
2 clous de girofle
4 échalotes françaises, hachées fin
15 ml (1 c. à soupe) de beurre
60 ml (4 c. à soupe) de miel
Sel et poivre du moulin
30 ml (2 c. à soupe) de persil frais, haché fin

Retirer la pelure et la queue des betteraves ; les couper en quatre ; les déposer dans une terrine. Porter le vinaigre et les clous de girofle à ébullition dans une casserole ; verser sur les betteraves ; laisser macérer 2 heures à la température ambiante.

Égoutter les betteraves. Dans une sauteuse, faire revenir au beurre les échalotes hachées ; ajouter les betteraves et le miel ; cuire environ 5 minutes ou jusqu'à consistance sirupeuse. Saler et poivrer ; présenter dans un plat de service chaud ; saupoudrer de persil haché.

Ces betteraves se présentent en guise de garniture et de condiment. Bien macérer les betteraves avant de les glacer au miel.

Purée « trois-légumes »

Pour 8 à 10 personnes /
Préparation : 20 min /
Cuisson : 30 min

6 pommes de terre moyennes, pelées, lavées, coupées en deux
2 carottes, pelées, coupées en morceaux
1/2 petit rutabaga, pelé, coupé en morceaux
1 oignon, pelé, coupé en morceaux (facultatif)
Eau légèrement salée
45 ml (3 c. à soupe) de beurre
125 ml (1/2 tasse) de lait
Sel et poivre du moulin, au goût
1 pincée de muscade
30 ml (2 c. à soupe) de ciboulette, hachée fin

Cuire les pommes de terre, les carottes, le rutabaga et l'oignon dans l'eau salée ; égoutter. Passer les légumes au presse-purée ou au robot culinaire. Ajouter le beurre, le lait, le sel, le poivre et la muscade râpée ; bien mélanger. Réserver au chaud jusqu'au moment de servir.

Présenter la purée dans un beau légumier et la parsemer de ciboulette hachée, à la toute fin.

Autrefois, lors d'un repas de fête, la purée de légumes était sur toutes les tables québécoises. Elle accompagnait aussi bien le poulet grillé du dimanche que le rôti de bœuf ou de veau. Certains ajoutaient du panais à la préparation, lequel adoucit un peu la saveur marquée du rutabaga.

Chou rouge aigre-doux

Pour 8 à 10 personnes /
Préparation : 20 min /
Cuisson : 25 min

45 ml (3 c. à soupe) de graisse d'oie (voir recette d'oie rôtie à l'ancienne page 80)
1 petit chou rouge, le cœur retiré, coupé en fines lanières
1 petit oignon, émincé fin
60 ml (1/4 tasse) de vinaigre de cidre
45 ml (3 c. à soupe) de miel
Sel et poivre du moulin, au goût
10 ml (2 c. à thé) de graines de cumin, de carvi ou d'aneth
1 pomme (Cortland, Empire ou Délicieuse jaune), pelée, sans le cœur, coupée en petits dés

Déposer la graisse d'oie dans une casserole ; chauffer. Ajouter les lanières de chou, l'oignon, le vinaigre, le miel, le sel, le poivre et les graines de cumin ; laisser mijoter 20 minutes à feu moyen ou jusqu'à tendreté du chou ; remuer de temps à autre.

Ajouter les dés de pommes 5 minutes avant la fin de la cuisson ; bien mélanger les ingrédients. Ajouter un peu de vinaigre au besoin ; rectifier l'assaisonnement. Réserver au chaud jusqu'au moment de servir. Présenter le chou aigre-doux dans un plat de service ou un légumier.

Le chou rouge aigre-doux accompagne divinement l'oie ou le canard rôti et peut remplacer les traditionnelles canneberges. Ce légume est également délicieux avec le porc et le gibier.

Topinambour à l'étuvée

Préparation : 10 min /
Cuisson : 20 min

500 g (1 lb) de topinambours, nettoyés à l'eau froide ou **6** fonds d'artichaut frais, coupés en quatre
1 l (4 tasses) d'eau, additionnée d'un filet de vinaigre (pour éviter le noircissement des topinambours à la cuisson)
5 ml (1 c. à thé) de sel
45 ml (3 c. à soupe) de beurre
1 oignon moyen, émincé
Un peu d'eau et de beurre, au besoin
Sel et poivre du moulin
30 ml (2 c. à soupe) de persil, finement haché

Mettre les topinambours à cuire de 10 à 15 minutes dans une eau légèrement vinaigrée et salée ; égoutter, rincer et peler les topinambours. Couper les topinambours en deux (les artichauts en quatre) ; réserver. Dans une casserole, faire suer l'oignon émincé quelques minutes dans le beurre ; incorporer les topinambours (ou artichauts). Au besoin, pour éviter qu'ils ne collent au fond, ajouter un peu d'eau et de beurre ; couvrir et laisser mijoter quelques minutes supplémentaires à feu moyen. Saler et poivrer. Retirer du feu ; saupoudrer de persil haché.

L'Amérindien cuisait le topinambour sous la cendre. Ce légume a été la première plante répertoriée par Champlain. Les colons apprêtèrent l'« artichaut de Jérusalem » bien avant que les Européens ne le découvrent.

Pommes de terre brunes caramélisées à l'érable

Pour 4 à 6 personnes /
Préparation : 10 min /
Cuisson : 15 min

8 pommes de terre, pelées, cuites à la vapeur, coupées en deux
45 ml (3 c. à soupe) de beurre
5 ml (1 c. à thé) d'huile
80 ml (1/3 tasse) de sucre d'érable
Sel et poivre du moulin, au goût

Faire fondre et dorer légèrement le sucre d'érable dans le beurre et l'huile. Ajouter les pommes de terre et les laisser caraméliser 10 à 15 minutes de tous les côtés.

Salade de chou de tante Joséphine

Préparation : 20 min /
Réfrigération : 3 h

1 petit chou blanc, lavé, le cœur retiré, coupé en fines lanières
1 oignon, pelé, coupé en lanières fines
3 grosses carottes, pelées, râpées fin
2,5 ml (1/2 c. à thé) de sucre
1 citron : le jus
45 ml (3 c. à soupe) de moutarde de Dijon
125 ml (1/2 tasse) de mayonnaise
Sel et poivre

Attendrir le chou émincé en le plongeant 10 secondes dans l'eau bouillante salée ; le rincer sous l'eau froide, l'égoutter et l'éponger avant d'entreprendre la salade de chou.

Déposer le chou, l'oignon et les carottes dans un bol ; faire fondre le sucre dans le jus de citron ; mélanger avec la moutarde et la mayonnaise. Saler et poivrer. Réfrigérer 3 heures et servir.

La salade de chou de Joséphine, une tante franco-américaine, avait tant de succès que sa recette circulait dans toute ma famille.

Salade d'Étiennette

Pour 8 personnes /
Préparation : 25 min

2 belles laitues Boston, bien lavées
6 radis, coupés en rondelles
12 tomates cerises, coupées en quartiers
1 concombre, pelé et coupé en morceaux
1 cœur de céleri, coupé en lanières
1 pomme, pelée et coupée en morceaux
1 poivron vert, coupé en morceaux
1 oignon rouge, coupé en fines rondelles

VINAIGRETTE :
45 ml (3 c. à soupe) de vinaigre blanc
Sel et poivre
60 ml (1/4 tasse) d'huile d'arachide ou de maïs

Vinaigrette : dissoudre, dans un bol, le sel dans le vinaigre ; poivrer. Ajouter l'huile ; fouetter la vinaigrette jusqu'à consistance homogène.

Ajouter les feuilles de laitue et les garnitures à la vinaigrette ; mélanger délicatement les ingrédients. Présenter la salade dans des bols individuels.

Laitue à la crème et à la ciboulette

Pour 6 personnes /
Préparation : 15 min

2 bottes de laitue en feuilles
60 ml (1/4 tasse) de crème 35 %
Sel et poivre du moulin, au goût
1 poignée de ciboulette, hachée fin

Équeuter et laver les feuilles de laitue. Verser la crème dans un bol ; ajouter le sel et le poivre ; dissoudre le sel dans la crème. Ajouter les feuilles de laitue et la ciboulette hachée. Au moment de servir ; bien mélanger le tout. Cette salade peut s'accompagner d'un plat de crudités composé de bâtonnets de céleri, de tranches de tomates et de concombres, de petits oignons verts et de radis.

Plats de résistance

LES PLATS DE RÉSISTANCE TRADITIONNELS DU TEMPS DES FÊTES

Les plats traditionnels du temps des fêtes demeurent le témoignage le plus évocateur de notre art culinaire. Bien ancrés dans les traditions culinaires de chaque famille depuis des siècles, ces plats sont représentés par de nombreuses recettes qui s'inspirent autant des héritages français qu'amérindiens, écossais, irlandais et même anglais.

La gastronomie québécoise traditionnelle est à l'image de notre climat, de notre environnement, voire des dures réalités du quotidien rural et urbain de l'époque. La cuisine du temps des fêtes a pu être paysanne, bourgeoise même (dans certaines familles aisées), mais elle n'a jamais été folklorique. Ce n'est pas le fruit du hasard si la période du temps des fêtes se prêtait si bien aux agapes et aux festivités gourmandes.

Le temps des récoltes automnales passé, les réserves étaient abondantes et, peu de temps avant que n'arrivent les grands froids, on avait fait boucherie. De quoi préparer de grands festins et oublier quelque peu les longs mois d'un hiver déjà installé et qui durera un trimestre encore… jusqu'à la coulée des érables.

Les plats les plus populaires

Les plats étaient plus souvent à base de porc haché. Dans la majorité des régions, les préparations les plus populaires du temps des fêtes – de Noël, du jour de l'An et de l'Épiphanie – comptaient la tourtière, le cochon de lait farci, le ragoût de pattes et de boulettes de porc.

La tourtière, qui s'accompagnait de marinades et de catsups maison, se servait normalement en entrée. Elle succédait à un consommé ou à une soupe aux huîtres. La dinde farcie, servie avec sa sauce aux canneberges, devint une autre préparation de choix dans plusieurs familles. Au fil des ans, la popularité de la dinde a écarté de plus en plus l'oie de la table de Noël.

Enfin, dans Charlevoix, sur la Côte-Nord, au Saguenay et au Lac-Saint-Jean, le cipaille aux viandes (poulet, bœuf et porc) ou au gibier était un mets à couleur plus locale préparé pour les repas du temps des fêtes.

Omelette soufflée au lard

*Pour 4 personnes /
Préparation : 20 min /
Cuisson : 25 min*

750 ml (3 tasses) d'eau
500 g (1 lb) de lard salé semi-maigre, tranché fin
5 ml (1 c. à thé) d'huile
8 œufs
125 ml (1/2 tasse) de farine
1/2 l (2 tasses) de lait
5 ml (1 c. à thé) de sel
5 ml (1 c. à thé) de bicarbonate de soude
Poivre

Préchauffer le four à 200 °C (400 °F). Verser l'eau dans une poêle ; y déposer les tranches de lard, porter à ébullition, égoutter le lard et jeter l'eau. Chauffer la poêle avec l'huile ; y colorer les tranches de lard égouttées, jusqu'à ce que le lard soit doré et croustillant ; réserver les grillades dans la poêle.

Dans un bol, mélanger ensemble les œufs et la farine. Ajouter graduellement le lait, le sel et le bicarbonate de soude. Poivrer.

Verser le mélange aux œufs sur les grillades. Cuire au four 30 minutes. Détacher l'omelette de la poêle et la glisser dans un plat de service préalablement chauffé. Découper en portions et servir.

Dans le 6ᵉ Rang de Courcelles, ma tante Alma Bizier-Bilodeau veillait à ce que le poêle à bois dégage une bonne chaleur avant d'enfourner cette omelette qui, une fois sortie du four, avait l'allure d'un énorme champignon.

Dinde farcie et rôtie, sauce aux raisins verts

FARCE AU PAIN ET AUX ÉPICES

*Pour 10 à 12 personnes /
Préparation : 45 min / Cuisson : 3 h*

1 dinde de **5 kg (10 lb)**
30 ml (2 c. à soupe) de beurre
30 ml (2 c. à soupe) d'huile
1 carotte, coupée en brunoise (en dés minuscules)
1 branche de céleri, coupée en brunoise
1 oignon, haché fin

FARCE :
15 ml (1 c. à soupe) de beurre
30 ml (2 c. à soupe) d'huile
Les abats : cœur, foie, gésier, hachés fin
1 oignon, haché fin
1 carotte, coupée en brunoise
1 branche de céleri, coupée en brunoise
3 gousses d'ail, hachées fin
375 ml (1 1/2 tasse) de cidre
500 ml (2 tasses) de pain rassis, coupé en dés
2 œufs entiers
250 ml (1 tasse) de lait
1/2 orange, dénoyautée, non pelée, coupée en petits morceaux
1/2 pamplemousse, dénoyauté, non pelé, coupé en petits morceaux
1/2 citron, dénoyauté, non pelé, coupé en petits morceaux
2,5 ml (1/2 c. à thé) de chaque herbe : thym, romarin, sarriette et marjolaine
1 pincée de muscade râpée
1 pincée de piment de la Jamaïque moulu
10 baies de genièvre (grains entiers)
12 amandes entières, non mondées

1 feuille de laurier
3 morceaux d'anis étoilé
Sel et poivre du moulin, au goût
250 ml (1 tasse) de raisins verts entiers

SAUCE AUX RAISINS VERTS :
500 ml (2 tasses) de bouillon de volaille
60 ml (1/4 tasse) de beurre
60 ml (1/4 tasse) de farine
250 ml (1 tasse) de cidre
60 ml (1/4 tasse) de cassonade
6 gousses d'ail, émincées fin
Sel et poivre du moulin, au goût
500 g (1 lb) de raisins verts

Préchauffer le four à 180 °C (350 °F).

Farce : chauffer une poêle avec le beurre et l'huile ; y faire revenir les abats. Ajouter les légumes, l'ail et la moitié du cidre. Cuire jusqu'à évaporation du cidre. Émietter le pain dans un grand récipient ; battre les œufs et le lait et verser le tout sur les abats. Ajouter le reste du cidre et tous les autres ingrédients ; mélanger. Farcir la dinde.

Dinde : faire revenir la dinde dans le beurre et l'huile dans une rôtissoire ; ajouter les légumes et 125 ml de bouillon. Recouvrir d'un papier d'aluminium et cuire au four environ 3 heures ; arroser la dinde avec son bouillon quelquefois durant la cuisson. Découvrir 30 minutes avant la fin de la cuisson. Retirer la dinde ; réserver au chaud.

Sauce aux raisins : passer le jus de cuisson de la dinde ; le verser dans une casserole avec le bouillon restant, le beurre manié (mélange beurre-farine), le cidre, la cassonade, l'ail, le sel et le poivre. Mijoter pour obtenir une sauce onctueuse et légère ; rectifier l'assaisonnement au besoin. Laver les raisins ; les ajouter à la sauce ; cuire encore 5 minutes.

NOTE : pour bien dorer la dinde durant la cuisson, la badigeonner à quelques reprises de miel mélangé à un peu de bouillon. Servie avec une sauce aux raisins verts – harmonieuse et délicieusement fruitée – la dinde régalera vos convives de belle façon.

Dans certaines familles aisées du début du XIXe siècle, les maîtres cuisinières rivalisaient entre elles afin de présenter à leurs employeurs des mets recherchés se démarquant des autres tables. La dinde se prépare aussi avec des groseilles vertes en conserve, égouttées, ou avec des raisins secs.

Dinde farcie à la québécoise

Pour 8 à 10 personnes /
Préparation : 45 min / Cuisson : 3 h 45

1 dinde de **5 kg (10 lb)**
30 ml (2 c. à soupe) d'huile
15 ml (1 c. à soupe) de beurre
1 oignon, haché
1 carotte, coupée en morceaux
1 branche de céleri, coupée en morceaux
Eau ou bouillon

FARCE :
Les abats (gésier, cœur et foie), hachés fin
30 ml (2 c. à soupe) de beurre
15 ml (1 c. à soupe) d'huile
750 ml (3 tasses) de purée de pommes de terre
Sel et poivre
5 ml (1 c. à thé) de sarriette
60 ml (1/4 tasse) de ciboulette ou de queues d'oignons verts, hachées fin

Préchauffer le four à 160 °C (325 °F).

Farce : colorer dans une casserole les abats hachés au beurre et à l'huile, puis les mélanger à la purée de pommes de terre ; saler, poivrer, et assaisonner de sarriette et de ciboulette.

Remplir la dinde de cette farce et bien la refermer en cousant l'orifice à l'aide d'une aiguille et du fil.

Chauffer le beurre et l'huile dans la lèchefrite et y faire revenir l'oignon, la carotte et le céleri ; déposer la dinde sur la grille de la lèchefrite. Couvrir ; déposer au four et l'y laisser jusqu'à cuisson parfaite. Après 1 heure de cuisson, lorsque les légumes sont dorés, verser du bouillon ou de l'eau dans la lèchefrite ; recouvrir à nouveau en prenant soin d'arroser la dinde à quelques reprises. Découvrir pendant la dernière heure, afin de bien dorer la dinde.

La dinde farcie aux pommes de terre est un plat authentique du répertoire culinaire québécois qui se préparait dans plusieurs familles en milieu rural. La dinde farcie à la viande, servie avec une sauce aux canneberges, est une recette de la Nouvelle-Angleterre qui allait devenir de plus en plus populaire dans les familles en milieu urbain.

Dinde farcie à la façon de la Nouvelle-Angleterre

FARCE À LA VIANDE ET AU PAIN – SAUCE AUX CANNEBERGES

Pour 10 à 12 personnes /
Préparation : 30 min /
Cuisson : 4 h

1 dinde de **5 kg (10 lb)**
1 l (4 tasses) d'eau bouillante
2 oignons, coupés en lanières
250 g (1/2 lb) de beurre
250 ml (1 tasse) de crème
Farine

FARCE :
500 g (1 lb) de chair à saucisse
125 g (1/4 lb) de bœuf maigre, haché
Foie et gésier de la dinde, hachés
1 gros oignon, haché fin
1 branche de céleri, coupée en brunoise (en dés minuscules)
1 l (4 tasses) de mie de pain, émiettée grossièrement
5 ml (1 c. à thé) de sauge
1 pincée de thym
1 pincée de sarriette
5 ml (1 c. à thé) de poudre à pâte
125 ml (1/2 tasse) de bouillon de poulet
45 ml (3 c. à soupe) de sherry
Sel et poivre du moulin, au goût

Farce : faire revenir la chair à saucisse, le bœuf et les abats avec l'oignon et le céleri ; dégraisser ; ajouter le pain, les herbes, la poudre à pâte, le bouillon et le sherry ; saler et poivrer.

Farcir la dinde ; la déposer sur une grille dans une rôtissoire ; verser l'eau bouillante ; couvrir et cuire à la vapeur à feu vif 30 minutes. Égoutter ; réserver le bouillon. Préchauffer le four à 200 °C (400 °F). Remettre la dinde dans la rôtissoire avec les oignons, la badigeonner de beurre, saler et poivrer ; mettre au four à découvert jusqu'à belle dorure ; l'arroser à quelques reprises avec le beurre de cuisson.

Réduire la chaleur à 160 °C (325 °F) ; cuire encore jusqu'à tendreté de la chair ; arroser de bouillon réservé en cours de cuisson. Ajouter un peu d'eau, au besoin, pour la sauce. Mettre l'excédent de farce dans un contenant ; cuire au four 45 minutes à 1 heure avant la fin de cuisson de la dinde. Puis, environ 15 minutes avant la fin de la cuisson, verser la crème sur la dinde. À la fin de la cuisson, retirer la dinde et faire une sauce avec un peu de farine et le fond de cuisson ; accompagner de sauce aux canneberges et à l'orange (voir recette page 122).

Dinde farcie aux huîtres

Pour 10 à 12 personnes /
Préparation : 45 min /
Cuisson : 3 h

1 dinde de **5 kg (10 lb)**
185 ml (3/4 tasse) de beurre
1 l (4 tasses) de bouillon de volaille
250 ml (1 tasse) de cidre sec ou de bière blonde
5 ml (1 c. à thé) de sarriette

FARCE AUX HUÎTRES :
500 g (1 lb) de pain baguette rassis
125 ml (1/2 tasse) de beurre
5 ml (1 c. à thé) d'huile de tournesol
1 oignon, haché fin
1 branche de céleri, coupée en brunoise (en dés minuscules)
1 carotte, coupée en brunoise
48 huîtres, dans leur coquille
1 citron : le zeste
500 ml (2 tasses) d'eau bouillante, légèrement salée
1 tige de thym frais
1 feuille de laurier
1 poignée de persil, haché fin
Sel et poivre du moulin au goût

SAUCE :
250 ml (1 tasse) de jus de cuisson de la dinde, dégraissé
125 ml (1/2 tasse) de cidre sec ou de bière blonde
60 ml (1/4 tasse) de farine, ou plus, au besoin
5 ml (1 c. à thé) de sarriette
Sel et poivre du moulin au goût
Préchauffer le four à 180 °C (350 °F).

Farce : couper le pain en cubes et les faire colorer au four sur une plaque à pâtisserie ; réserver ces croûtons.

Chauffer le beurre et l'huile dans une poêle ; y faire revenir l'oignon, le céleri et la carotte ; réserver. Ouvrir les huîtres et les passer au tamis pour récupérer leur jus dans un contenant ; retirer des huîtres les éclats de coquille ; réserver. Dans un bol, mélanger les huîtres et les croûtons aux autres ingrédients de la farce ; ajouter le jus des huîtres, puis saler et poivrer. Farcir la dinde de ce mélange et bien la refermer en cousant l'orifice à l'aide d'une aiguille et du fil. Déposer la dinde au centre d'une rôtissoire, verser autour le bouillon et le cidre, la recouvrir d'un papier d'aluminium. Cuire 3 heures au four ; arroser la dinde durant la cuisson. Découvrir 30 minutes avant la fin de la cuisson. Retirer la dinde ; réserver au chaud.

Sauce : ajouter un peu de bouillon au jus de cuisson et incorporer la farine au fouet ; verser ensuite ce mélange dans le bouillon restant. Faire mijoter quelques minutes, jusqu'à belle apparence de la sauce ; rectifier l'assaisonnement au besoin. Présenter la sauce dans une saucière.

Jusqu'au début du XXe siècle, les huîtres étaient abordables pour toutes les bourses. On les vendait même dans la rue, dans les grandes villes d'Europe. L'Amérique du Nord ne faisait pas exception, et sur la côte Est, au Québec, en Acadie et en Nouvelle-Angleterre, les recettes à base d'huîtres étaient fort nombreuses.

Ragoût de dinde à la farine grillée

Pour 6 personnes /
Préparation : 25 min / Cuisson : environ 2 h

1 petite dinde de **4 kg** déjà cuite, dégraissée et désossée
500 ml (2 tasses) de farine

BOUILLON :
2,5 l (10 tasses) d'eau de source
La carcasse et les débris de la dinde (ailes, cou, gésier et autres)
1 feuille de laurier
Thym et sarriette au goût
5 carottes, pelées et coupées en morceaux
4 branches de céleri, coupées en morceaux
2 gros oignons, émincés
5 pommes de terre, pelées, coupées en 4 morceaux
Quelques grains de piment de la Jamaïque
5 ml (1 c. à thé) de romarin
Sel et poivre, au goût
60 ml (1/4 tasse) de persil haché

Préchauffer le four à 190 °C (375 °F). Couper la dinde dégraissée et désossée en portions individuelles ; réserver au frais. Porter l'eau à ébullition dans une marmite. Y déposer la carcasse et les débris, ainsi que la feuille de laurier, le thym et la sarriette. Laisser mijoter 1 heure.

Pendant ce temps, faire griller la farine au four chaud, en remuant assez souvent pour obtenir une couleur ambre et foncée.

Passer le bouillon au tamis ; jeter les débris et remettre le bouillon dans la marmite. Y ajouter les carottes, le céleri, les oignons, les pommes de terre et les assaisonnements ; laisser mijoter 20 minutes ; ajouter les portions de dinde. Laisser encore mijoter 30 minutes.

Délayer la farine grillée dans un bol contenant du bouillon de cuisson et l'ajouter au ragoût. Vérifier l'assaisonnement. Présenter dans un plat de service avec couvercle, parsemer de persil haché et accompagner de marinades maison.

Cette recette est idéale avec un reste de dinde, de poulet ou de porc. Elle sera appréciée par ceux et celles qui aiment retrouver les saveurs traditionnelles. On peut aussi ajouter des boulettes de viande à ce plat rustique.

Oie rôtie aux deux farces

Pour 6 personnes /
Préparation : 30 à 45 min /
Cuisson : 3 h

1 oie de **4 kg (8 lb)**
1 citron
1 tranche de pain, sans croûte (pour séparer les farces)
5 ml (1 c. à thé) de sel
2,5 ml (1/2 c. à thé) de poivre

PREMIÈRE FARCE :
1 boîte de 398 ml (14 oz) de demi-abricots au sirop
2 c. à soupe de sirop des demi-abricots
2 pommes vertes, pelées, coupées en dés
160 ml (2/3 tasse) de chapelure
1 soupçon de piment de la Jamaïque moulu
1 citron : le zeste râpé fin

DEUXIÈME FARCE :
30 ml (2 c. à soupe) de beurre
2 échalotes françaises, hachées
500 g (1 lb) de porc maigre haché
250 ml (1 tasse) de chapelure
1 orange : le zeste, râpé fin
15 ml (1 c. à soupe) de jus d'orange
5 ml (1 c. à thé) de sel
2,5 ml (1/2 c. à thé) de poivre
2,5 ml (1/2 c. à thé) de romarin
1 pincée d'origan
30 ml (2 c. à soupe) de lait

Première farce : hacher les abricots ; déposer dans un bol. Ajouter le jus d'abricot, les pommes, la chapelure, le piment de la Jamaïque et le zeste de citron ; réserver.

Deuxième farce : faire dorer les échalotes 3 à 4 minutes au beurre, à feu doux ; ajouter le porc ; bien cuire. Incorporer la chapelure, le zeste et le jus d'orange, la moitié du sel et du poivre, le romarin, l'origan et lait. Mélanger ; retirer du feu ; réserver.

Préchauffer le four à 180 °C (350 °F). Laver l'intérieur et l'extérieur de l'oie ; la sécher avec un coton. Frotter l'intérieur et la peau avec des quartiers de citron. Frotter ensuite la peau avec le reste du sel et du poivre ; piquer l'oie partout avec une fourchette. Poser l'oie sur le dos et la garnir de farce à l'abricot, en tassant avec une cuillère. Appuyer sur cette farce la tranche de pain taillée pour faire une séparation entre les deux farces. Garnir avec l'autre farce, posée sur le pain. Coudre l'orifice. Mettre l'oie côté poitrine sur une lèchefrite ; cuire 15 minutes au centre du four ; rôtir entre 1 heure et 1 heure 30 minutes. Retourner l'oie sur le dos et rôtir encore durant 1 heure à 1 heure 30 minutes. En cours de cuisson, retirer la graisse de cuisson du fond de la lèchefrite. L'oie est cuite lorsque, quand on pique une cuisse, le jus qui en sort est limpide. Retirer l'oie du four ; la déposer sur une planche à découper. Retirer les fils et servir.

NOTE : conserver la graisse d'oie pour faire sauter des pommes de terre, cuire des légumineuses, etc.

Avant que la dinde ne devienne la grande vedette de Noël, l'oie était sur toutes les tables. Voilà une belle façon de remettre aujourd'hui la mère l'oie à la mode.

Oie rôtie à l'ancienne

Pour 6 à 8 personnes / Préparation : 30 min /
Cuisson : 40 à 50 min par kilo (20 à 25 min par livre)

1 oie de **5 à 6 kg (10 à 12 lb)**, avec ses abats

FARCE :
250 g (1/2 lb) de chair à saucisse
Le foie de l'oie
125 ml (1/2 tasse) d'oignon, **2** gousses d'ail, le tout haché fin
125 ml (1/2 tasse) de céleri, haché fin
3 pommes moyennes, pelées, coupées en tranches fines ou râpées
60 ml (1/4 tasse) de poivron rouge, haché
45 ml (3 c. à soupe) de gelée de gadelles (groseilles rouges)
3 tranches de pain : la mie
1 œuf battu
1 soupçon de thym et de sarriette
Sel et poivre du moulin

SAUCE :
250 ml (1 tasse) de bouillon de poulet
250 ml (1 tasse) Vin blanc
15 ml (1 c. à soupe) de beurre
15 ml (1 c. à soupe) de farine

Préchauffer le four à 190 °C (375 °F).

Farce : dans une poêle, faire revenir la chair à saucisse et le foie ; ajouter l'oignon et l'ail ; dorer légèrement et incorporer le céleri, les pommes, le poivron et la gelée de gadelles. Retirer du feu, ajouter la mie de pain, l'œuf battu et les assaisonnements ; mélanger la farce et remplir l'oie. Coudre l'orifice ou sceller à l'aide d'une broche. Ficeler les pattes et les ailes le long du corps ; huiler la peau, saler et poivrer. Déposer au four et cuire de 40 à 50 minutes par kilo ; arroser à quelques reprises avec le jus de cuisson.

Lorsque l'oie est cuite, la retirer du four ; dégraisser le jus de cuisson (attention de ne pas vous brûler, il y a beaucoup de graisse). Déglacer au vin blanc ; ajouter le bouillon de poulet. Faire un beurre manié en mélangeant le beurre et la farine ; épaissir à feu doux en fouettant ensemble le jus de cuisson et le beurre manié.

Canard au chou rouge aigre-doux

Pour 6 personnes /
Préparation : 10 min / Cuisson : 1 h à 1 h 30

1 canard de **2,5 kg (5 lb)**
60 ml (4 c. à soupe) de beurre ou d'huile
Sel et poivre du moulin
1 chou rouge
180 ml (3/4 tasse) de bouillon
60 ml (1/4 tasse) de vinaigre de cidre québécois
1 barde de lard
15 ml (1 c. à soupe) de jus de citron
2 pommes, pelées, citronnées et coupées en quartiers
30 ml (2 c. à soupe) de cassonade

Préchauffer le four à 190 °C (375 °F). Hacher le chou en fines lanières (retirer le cœur) et en détacher les feuilles ; le déposer dans une cocotte avec la barde, le bouillon, le vinaigre, les morceaux de pommes et la cassonade. Saler et poivrer le chou, couvrir et laisser mijoter 45 minutes.

Piquer la peau du canard en tous sens avec la pointe d'un couteau ; l'enduire de beurre, saler et poivrer et déposer le canard sur la grille d'une lèchefrite. Précuire le canard 30 minutes au four et retirer le gras.

Retirer le canard du four ; dégraisser le jus de cuisson une deuxième fois. Remettre le canard à cuire sur la lèchefrite pour 45 minutes à 1 heure de plus (jusqu'à cuisson de la viande). Dégraisser à nouveau le jus de cuisson et le présenter en saucière. Déposer le chou autour d'un plat de service chaud, le canard au centre.

Dinde, oie, faisan, caille ou perdrix font le bonheur de tous durant le temps des fêtes. Ce canard, facile à réaliser, comblera vos convives, en plus de ne pas exiger une trop longue préparation.

Outarde aux petits navets

Pour 4 à 6 personnes /
Préparation : 30 min /
Cuisson : 2 à 3 h

1 outarde bien dodue de **2 à 3 kg (4 à 6 lb)**, ou **1** oie ou **2** canards
60 ml (4 c. à soupe) d'huile
125 g (1/4 lb) de beurre
2 gros oignons, coupés en morceaux
12 rabioles (petits navets à collets mauves), coupés en deux
7,5 ml (1/2 c. à soupe) de paprika
5 ml (1 c. à thé) de moutarde sèche
2,5 ml (1/2 c. à thé) de poudre d'ail
Sel et poivre, au goût
1 pincée de cari
500 ml (2 tasses) de bière blonde
1 pomme, coupée en quartiers
1 branche de céleri, coupée en morceaux
1 carotte, coupée en morceaux
1 poireau, lavé en profondeur, puis coupé en morceaux
1/2 citron, coupé en quartiers
8 grains de piment de la Jamaïque ou de baies de genièvre
Sel et poivre, au goût

Préchauffer le four à 180 °C (350 °F). Nettoyer l'outarde ; à l'aide d'un couteau tranchant, retirer les glandes sébacées du croupion (côté dos), pour éviter que l'oiseau ne prenne un arrière-goût durant la cuisson. Verser l'huile dans une rôtissoire placée sur deux ronds de la cuisinière ; ajouter la moitié du beurre et y faire revenir à feu moyen les oignons et navets. Déposer l'outarde sur les légumes et retirer la rôtissoire du feu.

Avec le beurre restant, faire à la fourchette une pâte composée de paprika, de moutarde, de poudre d'ail, de sel, de poivre et de cari ; recouvrir l'outarde de cette préparation. Arroser les légumes de bière et farcir l'oiseau en y mettant les ingrédients restants. Recouvrir l'outarde d'une feuille de papier d'aluminium, sans sceller. Cuire au four, de 2 à 3 heures, selon la grosseur, en l'arrosant régulièrement.

Une heure avant la fin de la cuisson, sortir la rôtissoire du four ; retirer les oignons et les navets du jus de cuisson ; réserver les légumes et remettre l'outarde à cuire à découvert. Lorsqu'elle est cuite, la retirer de la rôtissoire et la garder au chaud ; passer le jus de cuisson au tamis ; dégraisser et réchauffer. Réchauffer aussi les légumes. Placer l'outarde sur un grand plat de service chaud, en disposant autour les légumes ; verser la sauce chaude dans une saucière. Servir aussitôt.

Les gibiers à plumes et à poils étaient souvent présents sur les tables campagnardes d'autrefois. Gibiers et poissons permettaient de diversifier l'alimentation quotidienne. L'oie et d'autres oiseaux sauvages étaient alors des mets prisés lors des repas du temps des fêtes.

Faisan glacé, sauce Cumberland

Pour 6 personnes /
Préparation : 10 min /
Cuisson : 2 h 25 min

2 faisans
Quelques bardes de lard
60 ml (4 c. à soupe) de beurre
60 ml (4 c. à soupe) d'huile
375 ml (1 1/2 tasse) de mirepoix : carotte, céleri et oignon, hachés moyen
250 ml (1 tasse) d'eau
Sel et poivre frais moulu, au goût
Sirop d'érable, pour badigeonner le faisan en fin de cuisson

SAUCE CUMBERLAND :
1 citron : le jus et le zeste coupé en fines lanières
1 orange : le jus et le zeste coupé en fines lanières
250 ml (1 tasse) d'eau bouillante
10 ml (2 c. à thé) de vinaigre de vin
2 échalotes françaises, hachées fin
125 ml (1/2 tasse) de porto
30 ml (2 c. à soupe) de gelée de groseilles, sinon de gelée de pommes
Sel au goût
Poivre de Cayenne

Préchauffer le four à 190 °C (375 °F). Saler, poivrer et barder les faisans. Les faire dorer dans une sauteuse avec le beurre et l'huile. Retirer les faisans ; ajouter la mirepoix ; faire revenir les légumes quelques minutes.

Remettre les faisans dans la sauteuse et ajouter l'eau ; saler et poivrer. Faire rôtir les faisans au four environ 2 heures, jusqu'à tendreté de la chair. Pendant ce temps, préparer la sauce Cumberland.

Sauce : blanchir les zestes des agrumes dans l'eau bouillante ; égoutter et réserver. Chauffer le vinaigre avec les échalotes dans une casserole, ajouter le porto, la gelée de groseilles, le jus et les zestes d'agrumes. Saler et poivrer au goût. Mijoter à feu doux une dizaine de minutes. La sauce Cumberland se sert aussi froide ; elle sera alors beaucoup plus épaisse.

Environ 15 minutes avant la fin de cuisson des faisans, retirer les bardes et faire dorer les faisans. Badigeonner de sirop d'érable à quelques reprises, pour bien glacer et colorer les faisans. Découper les faisans en morceaux et les accompagner de sauce Cumberland. Le jus de cuisson, une fois dégraissé, peut se présenter en saucière, de même que la sauce Cumberland.

Nos producteurs élèvent quantité de cailles, de perdrix, de pintades et de faisans. Si nos gibiers à plumes sont québécois, donnons aux Anglais le crédit de leur sauce Cumberland qui — lors d'un repas festif — les accompagne si bien.

Perdrix au chou

Pour 4 à 6 personnes /
Préparation : 20 min /
Cuisson : 1 h 30 min

2 perdrix, nettoyées
45 ml (3 c. à soupe) de beurre
1 couenne de lard d'environ 10 cm x 10 cm (4 po x 4 po)
125 g (1/4 lb) de lard salé maigre, dessalé la veille et coupé en tranches fines
1/2 carotte, coupée en rondelles
1 chou vert, coupé en lanières
1 gros oignon, émincé finement
250 g (1/2 lb) de poitrine fumée entière (morceau de bacon non tranché)
4 saucisses de Toulouse entières, piquées pour éviter qu'elles éclatent à la cuisson
250 ml (1 tasse) de bière blonde ou de cidre sec
Quelques grains de poivre
Sel, au goût

Dans une cocotte, faire revenir la couenne dans le beurre avec les tranches de lard des-salé ; y saisir les perdrix de tous les côtés. Ajouter la carotte, le chou, l'oignon, la poi-trine fumée et les saucisses de Toulouse piquées. Arroser les légumes de bière ou de cidre ; parsemer de grains de poivre et saler.

Couvrir la cocotte et cuire environ 1 heure 15 minutes au four à 190 °C (375 °F), ou jusqu'à tendreté des cuisses. Dresser les perdrix au centre d'un plat de service chaud avec le chou et les autres morceaux de viande tout autour. Si l'on cuit des pommes de terre à la vapeur, les déposer sur le chou.

Poulet au sirop d'érable

Pour 6 personnes /
Préparation : 25 min /
Cuisson : environ 1 h 10

1 poulet de grain de **1,5 kg (3 lb)**, coupé en huit morceaux
60 ml (1/4 tasse) de farine
Sel et poivre, au goût
1 noix de beurre
45 ml (3 c. à soupe) d'huile
3 gros oignons, hachés
Sel et poivre, au goût
23 ml (1 1/2 c. à soupe) de sarriette
60 ml (1/4 de tasse) de sirop d'érable

Préchauffer le four à 180 °C (350 °F). Fariner, saler et poivrer les morceaux de poulet. Chauffer le beurre et l'huile dans une grande sauteuse et y dorer les morceaux de poulet ; les déposer ensuite dans un plat à gratin. Réserver au chaud.

Faire revenir les oignons dans la sauteuse ; en couvrir les morceaux de poulet ; saler et poivrer. Saupoudrer de sarriette, puis arroser de sirop d'érable. Laisser cuire un peu plus d'une heure.

Présenter dans le plat de cuisson. Accompagner de pommes de terre en purée et de carottes au beurre.

Les familles en milieu rural pouvaient compter sur l'abondance des produits de leur ferme. Les poulets, nourris de bons grains et d'herbe des champs durant l'été, étaient si délicieux qu'ils faisaient honneur aux tables du dimanche.

Cipaille aux gibiers à la mode de Charlevoix

Pour 6 à 8 personnes /
Macération : 1 nuit ou 8 h /
Préparation : 45 min /
Cuisson : 4 h

1 lièvre, de plus de **500 g (1 lb)**, coupé en morceaux
1 ou 2 perdrix ou **1** poulet de **500 g (1 lb)**, coupés en morceaux
500 g (1 lb) de porc maigre, coupé en morceaux
750 g (1 1/2 lb) de pâte brisée
125 g (1/4 lb) de bardes de lard salé
Pincée de sarriette et de thym
1 feuille de laurier
Poivre du moulin
2 gros oignons, tranchés
1 kg (2 lb) de pommes de terre, tranchées
1 l (4 tasses) de bouillon de bœuf (fond brun), bien assaisonné

MARINADE :
500 ml (2 tasses) de cidre
500 ml (2 tasses) de bière
1 carotte, coupée en rondelles
1 oignon, haché fin
1 feuille de laurier
1 brindille de thym
12 grains de poivre
2,5 ml (1/2 c. à thé) de gros sel

Marinade : mélanger tous les ingrédients et y déposer les morceaux de viande. Laisser mariner une nuit.

Foncer le fond et les rebords d'une cocotte épaisse et profonde avec une abaisse de pâte ; tapisser la surface de la pâte avec un tiers des bardes de lard.

Ajouter le tiers des viandes de lièvre, de poulet et de porc, marinées et égouttées. Assaisonner de sarriette, de thym, de laurier et de poivre ; couvrir d'oignons et de la moitié des pommes de terre. Répéter : un rang de lard, un de viande, un d'oignon et un de pommes de terre. Terminer avec un rang d'oignons. Mouiller de bouillon aux trois quarts.

Recouvrir d'une abaisse de pâte brisée et faire une incision de 2,5 cm (1 po) de diamètre au centre.

Couvrir d'un papier d'aluminium et cuire le cipaille 10 minutes au four préchauffé à 230 °C (450 °F), puis baisser la température à 180 °C (350 °F) et cuire nouveau 1 heure 45 minutes, puis encore 2 heures à 120 °C (250 °F). Ajouter un peu de bouillon au besoin en cours de cuisson.

Retirer le couvercle et faire dorer la pâte à four très chaud, environ 5 à 10 minutes.

Le cipaille traditionnel se prépare avec du gibier. Néanmoins, on peut remplacer les viandes sauvages par du poulet, du bœuf et du porc. Pour faciliter l'exécution du plat, il n'est pas obligatoire de foncer d'une abaisse couvrant le fond et les rebords de la cocotte ; seule la pâte de couverture est vraiment indispensable.

Carré de chevreuil, sauce poivrade

Pour 4 personnes /
Préparation : environ 1 h 15 /
Cuisson : sauce, 30 min – carré, de 20 à 25 min

1 carré de chevreuil d'environ **1 kg (2 lb)**
3 à 4 longues bardes de lard (largeur d'une tranche de bacon)
30 ml (2 c. à soupe) de moutarde de Dijon
60 ml (1/4 tasse) de persil frais, haché
Sel et poivre du moulin, au goût
60 ml (4 c. à soupe) de beurre
15 ml (1 c. à soupe) d'huile de tournesol
1 oignon, émincé en fines lanières ou des petits oignons grelots
5 gousses d'ail, avec pelure, écrasées
3 tiges de thym frais
1/2 tige de romarin frais

SAUCE POIVRADE :
45 ml (3 c. à soupe) d'eau
60 ml (4 c. à soupe) de sucre
375 ml (1 1/2 tasse) de vin rouge
125 ml (1/2 tasse) de vinaigre de vin rouge
30 ml (2 c. à soupe) de farine
125 ml (1/2 tasse) de bouillon de bœuf ou de fond de gibier
45 ml (3 c. à soupe) de pâte de tomate
30 ml (2 c. à soupe) de gelée de groseilles ou autre
30 ml (2 c. à soupe) de calvados
10 ml (2 c. à thé) de grains de poivre, concassés
Sel, au goût

Préchauffer le four à 190 °C (375 °F). Disposer les bardes de lard en longueur autour de la viande, en les maintenant à l'aide de cure-dents. Mélanger la moutarde, le persil, le sel et le poivre ; en badigeonner le carré de chevreuil sur tous les côtés.

Chauffer le beurre et l'huile dans une rôtissoire et y faire revenir le carré de chevreuil à feu vif. Lorsque la viande est bien colorée, ajouter l'oignon, les gousses d'ail, les tiges de thym et de romarin. Déposer la rôtissoire au four. Cuire de 20 à 25 minutes, pour obtenir une cuisson rosée. Préparer la sauce poivrade durant la cuisson de la viande.

Sauce : verser l'eau dans une casserole ; y faire fondre le sucre et chauffer jusqu'à l'obtention d'un caramel foncé. (Attention ! Le caramel brûle rapidement en fin de cuisson ; le laisser prendre couleur lentement, en retirant et en remettant la casserole sur le feu.) Retirer du feu ; ajouter le vin et le vinaigre pour déglacer. Remettre sur le feu et mijoter pour réduire le liquide de moitié.

Délayer dans un bol la farine avec le bouillon. Verser dans la casserole contenant le vin et le vinaigre, progressivement et en fouettant, pour éviter la formation de grumeaux. Incorporer la pâte de tomate, la gelée, le calvados, le poivre et le sel. Laisser mijoter de 5 à 10 minutes à feu doux.

Verser la poivrade dans une saucière ; présenter du poivre concassé dans un petit récipient.

Le nom poivrade vient du poivre qui compose la sauce. Faire macérer la viande dans la marinade restante pour réaliser la sauce ; omettre alors le volume de liquide demandé pour la marinade : vin, vinaigre et bouillon.

Selle de chevreuil Anticosti

Pour 8 à 10 personnes /
Préparation : 30 min /
Cuisson : 2 h 15

1 selle de chevreuil, débarrassée de ses membranes
12 baies de genièvre
4 gousses d'ail, émincées
60 ml (1/4 tasse) d'huile de tournesol
1 gros oignon, coupé en lanières
60 ml (4 c. à soupe) de persil, haché fin
2 feuilles de laurier
15 ml (1 c. à soupe) de romarin
60 ml (1/4 tasse) d'épices à grillade

SAUCE :
2 oignons moyens, coupés en quartiers
125 ml (1/2 tasse) de porto
250 ml (1 tasse) de gin
2 jaunes d'œufs
60 ml (1/4 tasse) de crème 35 %
Sel et poivre du moulin
1 soupçon de poivre de Cayenne

Préchauffer le four à 160 °C (325 °F). À l'aide d'un petit couteau, pratiquer des incisions peu profondes dans la selle de chevreuil ; introduire dans chaque incision une baie de genièvre et un morceau d'ail. Chauffer l'huile dans une rôtissoire ; y saisir la viande de tous les côtés ; retirer du feu ; ajouter l'oignon et les herbes ; saupoudrer généreusement la selle d'épices à grillade. Cuire au four 1 heure 45 minutes ; ajouter un peu d'eau chaque fois que les oignons commencent à noircir ; arroser du jus de cuisson à quelques reprises.

Sauce : dans une casserole, réduire en purée les quartiers d'oignon avec le porto et le gin ; cuire à feu doux 15 minutes. Retirer la selle de la rôtissoire ; réserver au chaud ; passer le jus de cuisson ; l'ajouter à la sauce ; incorporer les jaunes d'œufs délayés dans la crème ; porter à ébullition en remuant ; ne pas bouillir ; retirer du feu. Vérifier l'assaisonnement ; saler et poivrer au besoin ; ajouter un soupçon de poivre de Cayenne. Trancher la selle de chevreuil et déposer les tranches sur un plat de service chaud. Napper de sauce. Accompagner d'une purée de légumes.

Autrefois, les familles qui résidaient sur l'île d'Anticosti durant l'hiver connaissaient davantage le cerf de Virginie que la dinde. Aujourd'hui, le cerf d'élevage permet d'offrir durant toute l'année à nos invités cette savoureuse selle imprégnée d'épices aromatiques.

Lièvre aux pruneaux

Pour 4 personnes /
Préparation : 20 min /
Macération : 1 nuit /
Cuisson : 1 h 20

1 lièvre d'environ **1,5 kg (3 lb)**, coupé en morceaux nettoyés
250 g (1/2 lb) de bacon en bloc (non tranché)
Farine, en quantité suffisante pour enrober les morceaux de lièvre
Sel et poivre du moulin
Huile, au besoin
500 g (1 lb) de pruneaux dénoyautés
Beurre manié :
30 ml (3 c. à soupe) de beurre
30 ml (3 c. à soupe) de farine

MARINADE :
1 l (4 tasses) de vin rouge
2 carottes, coupées en rondelles
2 oignons, coupés en morceaux
2 branches de céleri, coupées en morceaux
1 feuille de laurier
12 baies de genièvre
24 grains de poivre
1 feuille de laurier
1 pincée de chaque herbe : thym, romarin et basilic
1 tige de cèdre ou de pin
1 orange : la pelure, blanchie

La veille : déposer dans un grand bol les morceaux de lièvre. Y verser le vin et ajouter tous les ingrédients de la marinade. Faire mariner au frais 1 nuit ; retourner les morceaux dans la marinade à quelques reprises.

Le lendemain : préchauffer le four à 180 °C (350 °F). Découper le bloc de bacon en lardons, les faire colorer à feu moyen dans une cocotte. Durant ce temps, passer la marinade dans un tamis ; réserver les morceaux de lièvre dans un récipient. Quand les lardons sont bien dorés, ajouter les légumes de la marinade dans la cocotte et les cuire avec les lardons. Ajouter de l'huile au besoin.

Assécher les morceaux de lièvre et les rouler dans une grande assiette contenant la farine, le sel et le poivre mélangés. Placer les morceaux de lièvre dans la cocotte avec les lardons et les légumes ; les colorer de tous les côtés. Y verser le vin de la marinade. Ajouter les pruneaux ; déposer le couvercle sur la marmite et cuire au four durant 1 heure 20 minutes. Ajouter le beurre manié 10 minutes avant la fin de cuisson, si la sauce est trop claire.

Une brindille de cèdre ou de sapin accentue la saveur sauvage d'un gibier. Ces ajouts aromatiques, utilisés autrefois pour le saumon par les autochtones, donnent aussi un léger goût de sous-bois. À défaut de cèdre ou de sapin, utiliser des baies de genièvre.

Ragoût de lièvre

Pour 4 personnes /
Préparation : 10 min /
Trempage : le lard, 1 nuit /
Cuisson : 1 h 15

250 g (1/2 lb) de lard dessalé, coupé en dés (lardons)
1 gros lièvre d'environ **1,5 kg (3 lb)**, découpé en 6 morceaux
60 ml (4 c. à soupe) d'huile de tournesol
2 gros oignons, coupés en quartiers
45 ml (3 c. à soupe) d'herbes salées
Poivre du moulin
500 ml (2 tasses) de bière blonde
12 baies de genièvre
2,5 ml (1/2 c. à thé) de thym
1 feuille de laurier

La veille : mettre le lard à dessaler dans l'eau froide.

Le lendemain : préchauffer le four à 180°C (350°F). Dans une cocotte, faire revenir dans l'huile les morceaux de lièvre. Dorer les lardons dans une poêle avec les oignons, les herbes salées et le poivre. Ajouter le tout au lièvre dans la cocotte.

Verser la bière sur le lièvre, ajouter les baies de genièvre, le thym et la feuille de laurier. Cuire au four 1 heure 15 minutes. Servir dans la cocotte de cuisson ; accompagner d'une purée de pommes de terre ou de pomme de terre à l'anglaise.

Bœuf braisé au four

Pour 4 à 6 personnes /
Préparation : 10 min /
Cuisson : 3 h 30

1 morceau de bœuf à braiser entier d'environ **2 kg (4 lb)**
Sel et poivre du moulin, au goût
30 ml (2 c. à soupe) de gras végétal
4 oignons, hachés moyen
1 feuille de laurier
1 brindille de thym frais
60 ml (1/4 tasse) d'eau

Préchauffer le four à 200 °C (400 °F). Frotter de sel et de poivre le morceau de bœuf de toute part. Chauffer le gras dans une cocotte ; y saisir la viande à feu vif de tous les côtés jusqu'à belle coloration. Ajouter les oignons autour de la viande, puis la feuille de laurier, le thym et l'eau. Couvrir la cocotte ; réduire la chaleur du four à 190 °C (375 °C) et cuire environ 3 heures 30 minutes, ou jusqu'à tendreté de la viande. Découper en tranches ; napper de jus de cuisson aux oignons.

La Chaudière étend ses méandres à travers la fertile vallée beauceronne. De Beauce me revient le souvenir des plats de mes tantes Juliette et Alma : omelette soufflée, steak poêlé et déglacé au thé, bœuf braisé, laitue à la crème et à la ciboulette, tarte au suif, gelée de pimbina et pouding aux petits fruits. Aussi, le sucre et le sirop d'érable étaient en permanence sur toutes les tables.

Ragoût de bœuf aux grands-pères

Pour 6 à 8 personnes /
Préparation : 25 min /
Cuisson : bœuf, 2 h – grands-pères, 15 min

1,5 kg (3 lb) de bœuf (croupe ou côte), coupé en cubes
Farine
45 ml (3 c. à soupe) de beurre
30 ml (2 c. à soupe) d'huile
24 petits oignons blancs
2 gousses d'ail, hachées fin
1 pincée de thym
1 pincée de sarriette
2 feuilles de laurier
1 1/2 l (6 tasses) de bouillon de bœuf
Sel et poivre

PÂTE À GRANDS-PÈRES :
750 ml (3 tasses) de farine
10 ml (2 c. à thé) de poudre à pâte
2,5 ml (1/2 c. à thé) de sel
2 œufs
180 ml (3/4 tasse) de lait
1 l (4 tasses) d'eau bouillante, légèrement salée
1 noix de beurre
15 ml (1 c. à soupe) de persil, haché fin
Ail au goût, haché fin

Enfariner les cubes de bœuf ; saisir et colorer les morceaux dans le beurre et l'huile ; ajouter et faire revenir les oignons. Ajouter, l'ail, les herbes et les feuilles de laurier ; couvrir de bouillon ; saler et poivrer. Mijoter pendant 2 heures environ, ou jusqu'à tendreté de la viande.

Pendant ce temps, préparer la pâte à grands-pères. Tamiser la farine, la poudre à pâte et le sel dans un bol. Battre légèrement les œufs avec le lait, puis verser sur la farine. Mélanger jusqu'à consistance de pâte.

Enfariner un espace de travail et étendre la pâte assez mince. Couper la pâte en fines lanières et les cuire dans l'eau bouillante légèrement salée, durant 5 minutes. Égoutter les grands-pères.

Sauter les pâtes à la poêle dans une noix de beurre, avec l'ail et le persil. Servir avec le ragoût au bœuf qui est déposé dans une assiette creuse avec des légumes de votre choix. Accompagner ce plat rustique de bon pain de campagne.

Ce ragoût de bœuf a des similitudes avec le bœuf aux carottes ou à la bière. La préparation mijote lentement ; les grands-pères, des petites pâtes que l'on ajoute à la sauce de cuisson, sont au Québec ce que les « dombrés » sont à la cuisine créole des Antilles françaises, ou les gnocchis à la cuisine italienne.

Tourte au bœuf, aux rognons et aux huîtres

Pour 6 personnes /
Préparation : 25 min / Cuisson : environ 2 h 20

750 g (1 1/2 lb) de bœuf maigre, coupé en cubes de 2,5 cm (1 po)
250 g (1/2 lb) de rognons de bœuf ou de veau, dégraissés, nettoyés et coupés en morceaux
30 ml (2 c. à soupe) d'huile
1 oignon, haché fin
125 g (1/4 lb) de champignons, coupés en morceaux (facultatif)
30 ml (2 c. à soupe) de farine
375 ml (1 1/2 tasse) de bouillon de bœuf
60 ml (4 c. à soupe) d'herbes salées
2,5 ml (1/2 c. à thé) de sarriette
Sauce Worcestershire
Poivre, au goût
18 huîtres fraîches, dans leur coquille
1 abaisse de pâte brisée
1 œuf battu
Sel, au besoin

Ouvrir les huîtres et les passer au tamis pour récupérer leur jus dans un contenant ; retirer des huîtres les éclats de coquille ; réserver.

Préchauffer le four à 180 °C (350 °F). Dans une grande casserole, faire revenir le bœuf et les rognons dans l'huile avec l'oignon et laisser dorer à feu vif.

Ajouter les champignons, puis la farine, en tournant ; verser le bouillon dans la casserole, ajouter les herbes salées, la sarriette, un peu de sauce Worcestershire et le poivre au goût, et mijoter doucement 15 minutes ; ajouter les huîtres et leur jus, retirer du feu et laisser tiédir. Goûter et ajouter du sel si nécessaire.

Verser dans un plat à gratin, couvrir de pâte brisée, dorer à l'œuf et cuire 2 heures au four.

Cœur de bœuf en matelote

Pour 6 personnes /
Préparation : 20 min /
Macération : 6 h / Cuisson : 4 h

2 cœurs de bœuf
60 ml (4 c. à soupe) de beurre
30 ml (2 c. à soupe) d'huile
3 oignons, coupés en fines lanières
15 ml (1 c. à soupe) de farine
500 ml (2 tasses) de vin rouge
Sel et poivre, au goût
24 champignons, nettoyés et coupés en lamelles
15 ml (1 c. à soupe) de beurre
15 ml (1 c. à soupe) d'huile

MARINADE :
500 ml (2 tasses) de vinaigre
5 ml (1 c. à thé) de thym
1 pincée de romarin
2 feuilles de laurier
3 clous de girofle
Sel et poivre, au goût

Réunir tous les ingrédients de la marinade.

Couper les cœurs en deux, les dégraisser, retirer les tendons et les laver sous l'eau froide ; les tailler ensuite en petits morceaux et les faire macérer dans la marinade pendant 6 heures.

Égoutter les morceaux de cœur ; les faire revenir dans l'huile et le beurre. Ajouter les oignons et laisser dorer ; ajouter la farine en tournant et verser le vin, saler et poivrer ; couvrir et cuire, à feu doux, 4 heures.

Faire revenir les champignons dans un peu de beurre et d'huile ; incorporer à la sauce 30 minutes avant la fin de la cuisson.

Langue de bœuf, sauce aux raisins

Pour 4 personnes /
Trempage : 1 h /
Préparation : 20 min /
Cuisson : langue, 2 h 45 – sauce, 30 min

1 langue de bœuf de **1,5 à 2 kg (3 à 4 lb)**
Eau vinaigrée et salée, en quantité suffisante pour recouvrir la langue
3 oignons, hachés fin
2 feuilles de laurier
60 ml (1/4 tasse) de feuilles de céleri, hachées fin
1/2 citron, coupé en tranches minces
8 grains de poivre
15 ml (1 c. à soupe) de gros sel à marinade

SAUCE AUX RAISINS :
15 ml (1 c. à soupe) de beurre
15 ml (1 c. à soupe) de farine
125 ml (1/2 tasse) de vinaigre de cidre
60 ml (1/4 tasse) de jus de pomme
60 ml (1/4 tasse) de sucre d'érable granulé ou de cassonade
4 clous de girofle
1 pincée de piment de la Jamaïque moulu
2,5 ml (1/2 c. à thé) de muscade râpée
190 ml (3/4 tasse) de raisins secs

Mettre la langue à tremper 1 heure dans de l'eau froide, vinaigrée et salée.

Égoutter la langue de bœuf ; la déposer dans une casserole ; recouvrir d'eau. Ajouter les oignons, les feuilles de laurier, les feuilles de céleri, le citron, les grains de poivre et le gros sel. Cuire à légère ébullition durant 2 heures 45 minutes, ou jusqu'à cuisson de la langue.

Retirer la casserole du feu, sortir la langue du bouillon. Laisser tiédir la langue ; en retirer la peau et remettre la langue dans le bouillon, en la laissant refroidir.

Sauce : faire fondre le beurre et ajouter la farine ; bien mélanger ce roux. Ajouter le vinaigre et le jus de pomme ; fouetter le mélange jusqu'à consistance crémeuse. Ajouter le sucre d'érable, les épices et les raisins secs. Verser la sauce dans une casserole ; émincer la langue en tranches biseautées et les ajouter à la sauce. Couvrir et laisser mijoter à feu doux durant 30 minutes. Retourner les tranches de langue à quelques reprises dans la sauce durant la cuisson.

Dresser dans un plat de service chaud avec des pommes de terre rôties au four. Servir avec des épinards au beurre ou des choux de Bruxelles.

Cette recette de langue de bœuf était l'un des plats préférés de ma mère, Étiennette Robidoux, chef de cuisine émérite au Château Sainte-Rose, un haut lieu de villégiature et de gastronomie dans les années 1930.

Pain de bœuf à la façon d'autrefois

Pour 4 personnes /
Préparation : 25 min /
Cuisson : 2 h

500 g (1 lb) de bœuf maigre, haché
500 g (1 lb) de veau, haché
30 ml (2 c. à soupe) d'huile
30 ml (2 c. à soupe) de beurre
1 oignon, haché fin
60 ml (1/4 tasse) de feuilles de céleri hachées fin
60 ml (1/4 tasse) de persil haché fin
15 ml (1 c. à soupe) d'herbes salées
2,5 ml (1/2 c. à thé) de poudre d'ail
2,5 ml (1/2 c. à thé) de moutarde sèche
2 œufs
325 ml (1 1/4 tasse) de mie de pain ou de chapelure
125 ml (1/2 tasse) de lait
Gras végétal ou beurre mou

Préchauffer le four à 180 °C (350 °F). Mélanger le bœuf et le veau ; réserver. Chauffer l'huile et le beurre ; y faire revenir l'oignon, les feuilles de céleri et le persil. Ajouter ce mélange aux viandes mélangées, ainsi que les herbes salées, la poudre d'ail et la moutarde sèche.

Battre les œufs en omelette ; les incorporer aux viandes avec la mie de pain et le lait. Mélanger tous les ingrédients ; réserver. Graisser ou beurrer un moule à cuisson ; y presser la préparation de pain de viande. Recouvrir le moule d'une feuille de papier aluminium ; placer le moule dans une rôtissoire contenant de l'eau (à la manière d'un bain-marie). Cuire au four environ 2 heures. Faire dorer la surface les 20 dernières minutes en retirant la feuille de papier d'aluminium.

Le pain de viande était de toutes les tables québécoises. Dommage qu'il ait un peu perdu de sa popularité, car c'est un plat savoureux, surtout lorsqu'on l'accompagne d'un coulis de tomate et d'une purée de pommes de terre.

Côte de veau
à la crème d'habitant

Pour 4 personnes /
Préparation : 10 min /
Cuisson : 20 min

4 côtelettes de veau, d'épaisseur moyenne
30 ml (2 c. à soupe) d'huile
30 ml (2 c. à soupe) de beurre
250 ml (1 tasse) de crème épaisse ou de crème sure
Sel et poivre, au goût
1 pincée de muscade
1 pincée de thym
60 ml (1/4 tasse) de persil, haché fin

Chauffer l'huile et le beurre dans une poêle et y faire dorer les côtelettes, 3 minutes de chaque côté ; retirer les côtelettes et les déposer dans un plat de service ; garder dans un four chaud. Chauffer la crème dans la poêle de cuisson ; saler, poivrer, et ajouter la muscade et le thym. Chauffer la crème jusqu'au point d'ébullition ; retirer aussitôt du feu et remuer pour bien déglacer les sucs de viande de cuisson de la poêle.

Sortir les côtelettes du four ; saupoudrer de persil haché. Servir aussitôt ; accompagner d'un gratin de pommes de terre ou de nouilles aux œufs.

Rôti de veau de lait au thé et aux navets

Pour 8 personnes /
Préparation : 25 min / Cuisson : 1 h 45 à 2 h

1 rôti de veau de lait du Québec de **2 kg (4 lb)**
Sel et poivre du moulin, au goût
60 ml (4 c. à soupe) de beurre
15 ml (1 c. à soupe) d'huile
3 oignons, hachés fin
6 petits navets (rabioles), pelés, coupés en quatre
1 tige de thym frais
180 ml (3/4 tasse) de thé fort, bien infusé
Sel et poivre du moulin, au goût

Préchauffer le four à 150 °C (300 °F). Saler et poivrer le veau ; le colorer au beurre et à l'huile de tous les côtés, dans une rôtissoire. Ajouter les oignons, les navets, le thym et le thé ; saler et poivrer. Cuire à four moyen environ 1 heure 45 minutes à 2 h.

Placer le rôti et les navets sur un plat de service chaud ; passer le bouillon et le verser dans une saucière. Servir aussitôt.

Un rôti absolument exquis, tout à fait approprié à la saison. L'accompagner d'un légume vert et d'une purée moitié pommes de terre, moitié courges d'hiver.

Tourtière traditionnelle

Pour 2 tourtières / Préparation : 30 min /
Cuisson : viande, 20 min – tourtière, 35 à 45 min

675 g (1 1/2 lb) de porc maigre, haché moyen
250 g (1/2 lb) de veau, haché moyen
60 ml (4 c. à soupe) d'huile ou de beurre
3 oignons, **3** gousses d'ail, le tout haché fin
1 feuille de laurier
2,5 ml (1/2 c. à thé) de graines de céleri
2,5 ml (1/2 c. à thé) de sarriette
1 pincée de piment de la Jamaïque moulu. Sel et poivre
160 ml (3/4 tasse) d'eau
125 ml (1/2 tasse) de chapelure
750 g (1 1/2 lb) de pâte brisée
Beurre, pour le moule à tourtière
1 jaune d'œuf délayé dans **15 ml (1 c. à soupe)** de lait (pour dorer la pâte)

Dans une marmite, faire revenir le porc et le veau dans la l'huile ou le beurre ; bien défaire les granules de viande.

Ajouter les oignons, l'ail et les assaisonnements ; bien mélanger. Verser l'eau ; laisser mijoter à découvert une vingtaine de minutes, en remuant la masse de temps à autre.

Incorporer la chapelure ; mélanger et retirer du feu. Rectifier l'assaisonnement.

Beurrer et foncer une assiette à tarte d'une abaisse de pâte brisée ; remplir la cavité de farce. Recouvrir d'une autre abaisse et souder les rebords de la pâte.

Faire de petites incisions à la surface de la pâte ; badigeonner du mélange œuf-lait pour bien dorer la croûte. Cuire au four à 190 °C (375 °F), jusqu'à ce que la pâte soit bien dorée.

Au retour de la messe de minuit en traîneau, le grand air de la campagne attisait l'appétit. La tourtière se servait chaude, au début du réveillon. Ce mets québécois savoureux, à base de porc et de veau hachés, était sur toutes les tables de Noël aux Rois (l'Épiphanie). Si on la prépare au bœuf, elle n'est plus une tourtière, mais un pâté à la viande !

Mini tourtières à la beauceronne

Donne 8 mini tourtières /
Préparation : 30 min /
Cuisson : 30 min

FARCE :
750 g (1 1/2 lb) de porc maigre, haché
250 g (1/2 lb) de veau, haché
100 g (4 c. à soupe) de gras végétal
3 oignons, hachés fin
3 gousses d'ail, hachées fin
1 feuille de laurier
2,5 ml (1/2 c. à thé) de graines de céleri
2,5 ml (1/2 c. à thé) de sarriette
1 pincée de piment de la Jamaïque moulu
Sel et poivre
180 ml (3/4 tasse) d'eau
125 ml (1/2 tasse) de chapelure

PÂTE :
750 g (1 1/2 lb) de pâte brisée
1 noix de beurre
60 ml (1/4 tasse) de lait mélangé
1 jaune d'œuf (pour dorer)

Préchauffer le four à 190 °C (375 °F).

Farce : dans une marmite, chauffer le gras végétal et y faire revenir durant quelques minutes le porc et le veau ; bien défaire les gros granules de viande. Ajouter les oignons, l'ail et les assaisonnements ; bien mélanger ; y verser l'eau. Laisser mijoter à découvert une vingtaine de minutes en remuant de temps à autre. Ajouter la chapelure, bien mélanger à nouveau et retirer du feu. Rectifier l'assaisonnement ; réserver la préparation.

Pâte : enfariner une surface de travail ; y abaisser des petits cercles de pâte ; beurrer les moules à tartelette et les foncer d'un cercle de pâte ; remplir la cavité de farce ; recouvrir d'un autre cercle de pâte en pressant pour bien souder. Faire de petites incisions à la surface de la pâte des tartelettes ; les badigeonner de lait et de jaune d'œuf afin de bien colorer la pâte. Déposer au four jusqu'à ce que la pâte soit bien dorée. Servir aussitôt.

Vrai ou faux ? On raconte qu'en Nouvelle-France, les tourtières se faisaient avec des tourtes. Cette espèce d'oiseau fut décimée et le porc remplaça la tourte dans cette recette. Pour alléger la farce, certains ajoutent du veau, tout ici étant une question de goût.

Ragoût de pattes de porc et de boulettes

Pour 6 personnes /
Préparation : 1 h /
Cuisson : 2 h 30

4 pattes de porc, coupées en tronçons de **6 cm (2 1/2 po)**
2 l (8 tasses) d'eau bouillante, salée et vinaigrée ; quantité suffisante pour couvrir les jarrets (pattes) de porc

BOUILLON :
2 l (8 tasses) de bouillon de légumes, de volaille ou d'eau
1 feuille de laurier
2 feuilles de sauge
1 branche de céleri, coupée en petits dés
1 carotte, coupée en petits dés
1 gros oignon, émincé fin
Sel et poivre du moulin
625 ml (2 1/2 tasses) de farine grillée (voir recette page 124)

BOULETTES DE VIANDE :
875 g (1 3/4 lb) de porc maigre, haché
500 g (1 lb) de veau, haché
Huile de tournesol
1 oignon moyen, haché fin
4 échalotes françaises, hachées fin
5 gousses d'ail, hachées fin
60 ml (4 c. à soupe) de persil, haché fin
2 feuilles de sauge, hachées fin
2,5 ml (1/2 c. à thé) de piment de la Jamaïque moulu
1 pincée de poivre de Cayenne (facultatif)
2 ml (1/3 c. à thé) de thym
2,5 ml (1/2 c. à thé) de laurier moulu
125 ml (1/2 tasse) de chapelure

1 œuf entier
Sel et poivre du moulin
Farine

Blanchir les pattes 5 à 10 minutes dans l'eau bouillante salée et vinaigrée. Jeter ce liquide. Rincer les pattes à l'eau froide ; égoutter ; réserver.

Bouillon : mettre le bouillon à chauffer dans une grande marmite, ajouter tous les autres ingrédients, sauf la farine grillée qu'on ajoute à la fin.

Dans une poêle, faire dorer les pattes dans l'huile ; les ajouter au bouillon. Porter à ébullition ; laisser mijoter 90 minutes, ou jusqu'à cuisson complète.

Boulettes de viande : faire revenir dans l'huile à feu doux l'oignon, les échalotes, l'ail et le persil ; les ajouter aux viandes hachées dans un bol avec la sauge, le piment de la Jamaïque, le poivre de Cayenne, le thym, le laurier moulu, la chapelure et l'œuf entier. Saler et poivrer. Mélanger les ingrédients. Pour vérifier l'assaisonnement, faire revenir une petite galette de viande dans la poêle et goûter.

Façonner les boulettes ; les enfariner une à une en les secouant pour éliminer le surplus de farine. Les dorer dans l'huile ; les égoutter sur un papier absorbant ; réserver. Une heure avant la fin de cuisson des pattes de porc, ajouter les boulettes au bouillon. Retirer les pattes et les boulettes, puis les réserver.

Placer la farine grillée dans un tamis au-dessus du bouillon et l'incorporer graduellement en battant énergiquement au fouet, pour empêcher la formation de grumeaux. Laisser mijoter 20 minutes. Ajouter les pattes et les boulettes. Saler et poivrer. Vérifier et rectifier l'assaisonnement, si nécessaire. Servir aussitôt.

Ce plat est composé de boulettes de porc et de veau et de pattes de porc (ne pas utiliser l'ergot). La farine grillée aromatise autant qu'elle lie le bouillon. Servir le ragoût avec des pommes de terre bouillies et des marinades. En guise d'entrée chaude, servir deux boulettes avec un peu de sauce et une pointe de tourtière.

Cochon de lait farci

1 cochon de lait entier d'environ **6 kg à 8 kg (12 lb à 16 lb)**
2 citrons, coupés en quartiers
Sel et poivre, au goût
Huile végétale, pour badigeonner
1 l (4 tasses) de vin blanc

FARCE :
Le foie et cœur du porcelet, hachés fin
250 g (1/2 lb) de porc, haché
125 g (1/4 lb) de veau, haché
6 échalotes françaises, hachées fin
2 gros oignons, **3** gousses d'ail, le tout haché fin
3 feuilles de laurier
5 ml (1 c. à thé) de piment de la Jamaïque moulu
10 ml (2 c. à thé) de sauge
180 ml (3/4 tasse) de vin blanc
125 ml (1/2 tasse) de cognac.
Sel et poivre du moulin, au goût

Préchauffer le four à 180 °C (350 °F). Frotter généreusement l'extérieur et l'intérieur du porcelet avec le citron. Saler et poivrer l'intérieur.

Mélanger dans un bol les ingrédients de la farce avec le vin et le cognac ; saler et poivrer. Farcir l'intérieur du cochon puis coudre le cochon sur toute sa surface. Déposer le cochon sur une grille placée sur une lèchefrite. Avec un pinceau à pâtisserie, badigeonner d'un peu d'huile toutes les surfaces du cochon ; protéger ses oreilles de papier aluminium.

Placer le cochon au four. Cuire 3 heures 30 minutes ; l'arroser à plusieurs reprises de vin blanc durant la cuisson, en badigeonnant les surfaces de jus de cuisson pour qu'elles deviennent bien dorées.

Autrefois, le petit cochon de lait était à l'honneur dans le temps des fêtes. Voici une recette délicieuse qui saura le ramener pour Noël ou le jour de l'An.

Rôti de porc aux patates brunes

Pour 4 personnes /
Préparation : 25 min /
Cuisson : environ 3 h

1 longe de porc de **3 kg (6 lb)**, préparée en rôti
6 à 10 gousses d'ail, pelées et coupées en lamelles
60 ml (4 c. à soupe) d'huile
4 oignons, coupés en quartiers
1 feuille de laurier
30 ml (2 c. à soupe) d'herbes salées
Sel et poivre du moulin, au goût
6 pommes de terre, pelées, coupées en quartiers
2 oignons, coupés en quartiers
750 ml (3 tasses) d'eau de source

Préchauffer le four à 190 °C (375 °C). Insérer l'ail dans la pièce de viande ; réserver. Chauffer l'huile dans une marmite en fonte ; colorer à feu vif le rôti piqué d'ail environ 4 minutes ; ajouter deux des quatre oignons, la feuille de laurier et les herbes salées. Saler et poivrer le porc ; déposer la marmite à découvert au four et cuire 2 heures.

Retirer la marmite du four. Entourer le rôti de quartiers de pommes de terre et des deux autres oignons ; saler et poivrer à nouveau ; mouiller d'eau. Remettre le tout à cuire 1 heure au four.

Le rôti de porc aux patates brunies dans le jus de cuisson est un classique de la cuisine québécoise ancienne. Autrefois, on le servait à toutes les occasions, en saison froide. Ce plat fait encore aujourd'hui les délices des joyeuses tablées.

Rôti de porc piqué à l'ail et pommes de terre brunes

Pour 6 personnes /
Préparation : 30 min /
Repos : 1 h /
Cuisson : 4 à 5 h

2,5 kg (5 lb) de porc, désossé et ficelé
3 à 4 gousses d'ail, coupées en lamelles
15 ml (1 c. à soupe) de thym
15 ml (1 c. à soupe) de sauge
Sel et poivre, au goût
1 couenne de lard, coupée en morceaux
3 oignons, coupés en lamelles
Eau de source
8 pommes de terre, pelées et coupées en deux

Préchauffer le four à 160 °C (325 °F). Piquer le porc d'ail, à plusieurs endroits, le frotter avec un peu de thym et de sauge ; saler, poivrer et laisser reposer 1 heure.

Faire revenir dans une rôtissoire la couenne de lard, à feu lent, jusqu'à ce qu'elle soit dorée. Ajouter la pièce de porc et faire dorer de tous les côtés, disposer les oignons autour et sous la viande. Couvrir et cuire au four de 4 à 5 heures.

Retirer le rôti de porc et le réserver au chaud. Délayer le fond de cuisson dans la rôtissoire avec l'eau et verser dans une grande casserole ; saler et cuire les pommes de terre dans ce jus.

Servir le rôti en tranches, accompagné de pommes de terre et arrosé du jus de cuisson.

La réussite de cette recette traditionnelle consiste à cuire longuement le rôti. Le jus obtenu parfumera les pommes de terre et arrosera de belle façon les tranches de porc rôties et piquées à l'ail.

Grillades de lard salé de Gabrielle Breton-Bilodeau

Pour 4 personnes /
Préparation : 25 min /
Cuisson : environ 20 min

1 l (4 tasses) d'eau
250 ml (1 tasse) de vinaigre blanc
1,5 kg (3 lb) de lard salé, maigre
45 ml (3 c. à soupe) d'huile
1 gros oignon, haché fin
60 ml (4 c. à soupe) de farine
500 ml (2 tasses) de thé
1 petit verre d'eau, pour la sauce
Poivre, au goût

Mettre le lard salé dans une marmite avec l'eau et le vinaigre. Bouillir environ 15 minutes. Jeter l'eau et le vinaigre. Refroidir le lard ; couper en tranches moyennes. Bien huiler une poêle ; cuire les tranches de lard à feux doux des deux côtés, jusqu'à ce qu'elles soient bien dorées. Retirer les grillades et les déposer sur un papier absorbant ; réserver au chaud.

Retirer le gras de la poêle, et en conserver un peu pour y cuire l'oignon jusqu'à transparence. Ajouter la farine en remuant constamment avec un fouet ou une fourchette, pour obtenir un roux d'une belle coloration. Ajouter graduellement, toujours en remuant, le thé. Poivrer et servir immédiatement avec les grillades. Accompagner de pommes de terre à l'anglaise, avec des cornichons ou autres marinades de votre choix.

Fèves au lard
de Sœur Marie-Édith

Pour 4 personnes /
Préparation : 25 min /
Trempage : fèves et lard, 1 nuit /
Précuisson : 2 h /
Cuisson : 5 à 6 h

250 g (1/2 lb) de lard salé, dessalé la veille
1 l (4 tasses) de fèves sèches (haricots blancs), trempées la veille
2 l (8 tasses) d'eau, pour la précuisson des fèves
15 ml (1 c. à soupe) de sel
125 ml (1/2 tasse) de mélasse
250 ml (1 tasse) d'eau bouillante

La veille : mettre le lard à dessaler dans un récipient rempli d'eau et faire tremper les fèves dans de l'eau froide, toute la nuit.

Le lendemain : préchauffer le four 180 °C (350 °F). Égoutter les fèves et les mettre dans 2 litres d'eau fraîche ; précuire sur le feu 2 heures, ou jusqu'à ce que leur peau s'enlève facilement.

Couper le morceau de lard en cubes. Déposer les fèves dans un pot en grès ou une marmite en fonte avec tous les autres ingrédients, à l'exception du lard. Déposer le lard en surface ; couvrir. Cuire entre 5 et 6 heures, en prenant soin de retirer le couvercle pour la dernière heure de cuisson.

Contrairement à la croyance populaire, ce plat traditionnel n'est pas d'origine québécoise ; il nous vient de la Nouvelle-Angleterre, plus précisément de Boston. Certains ajoutent aux fèves un oignon, de la moutarde sèche ou remplacent la mélasse par de la cassonade ou du sirop d'érable.

Fèves au lard, au lièvre et à la perdrix

Pour 4 à 6 personnes /
Trempage : fèves et lard, 12 h / Préparation : 45 min /
Cuisson : 2 h 30

1 l (4 tasses) de fèves blanches sèches (haricots blancs), trempées la veille

250 g (1/2 lb) de lard salé mi-maigre, trempé la veille

1 perdrix, coupée en morceaux ; ou pintade, canard ou faisan

1 lièvre, coupé en morceaux

30 ml (2 c. à soupe) d'huile de tournesol

1 carotte, **2** oignons, **1** branche de céleri, le tout émincée fin

2,5 ml (1/2 c. à thé) de sarriette.

1 feuille de laurier

30 ml (2 c. à soupe) de moutarde sèche ou de moutarde de Dijon

Sel et poivre, au goût

Eau de source ou bouillon

La veille : mettre les fèves à tremper et le lard à dessaler dans deux contenants d'eau différents ; le lendemain, jeter l'eau de trempage des haricots et du lard.

Le lendemain : préchauffer le four à 190 °C (350 °F). Déposer les fèves dans une cocotte en terre cuite ou une marmite. Couper le lard dessalé en cubes ; dorer les lardons dans l'huile à la poêle ; les retirer ; réserver le gras de cuisson dans la poêle.

Chauffer l'huile dans la poêle et y faire colorer les morceaux de gibiers ; les déposer sur les fèves avec les lardons, la carotte, les oignons, le céleri, la sarriette, la feuille de laurier et la moutarde. Saler et poivrer ; mouiller d'eau de source. Couvrir la cocotte et cuire au four 2 heures 30 minutes, ou jusqu'à cuisson des haricots. Ajouter un peu d'eau si les fèves se dessèchent.

Servir les fèves au lard, au lièvre et à la perdrix dans leur cocotte de cuisson. Accompagner de tranches de pain grillé.

Il existe bien des façons de préparer les fèves au lard, au lièvre et à la perdrix. Selon la méthode traditionnelle, on ajoute de la mélasse et de la cassonade aux fèves, et même du sirop ou du sucre d'érable. Les fèves non sucrées sont plus délicieuses que les fèves sucrées, qui sont d'origine anglo-américaine.

Pot-en-pot des Îles-de-la-Madeleine

Préparation : 30 min / Cuisson : environ 1 h

500 g (1 lb) de filet de morue fraîche, coupée en morceaux
500 g (1 lb) de pétoncles
250 g (1/2 lb) de crevettes, décortiquées
250 g (1/2 lb) de chair de homard, coupée en morceaux
4 pommes de terre, pelées, tranchées minces
2 oignons, hachés fin
Herbes salées, au goût
1 pincée de sarriette
Sel et poivre du moulin, au goût
500 ml (2 tasses) environ d'eau ou mieux, de fumet de poisson

PÂTE À POT-EN-POT :
375 ml (1 1/2 tasse) de farine
5 ml (1 c. à thé) de poudre à pâte
1 pincée de sel
125 ml (1/2 tasse) de beurre
80 ml (1/3 tasse) de liquide : moitié eau, moitié lait

Préchauffer le four à 190 °C (375 °F). Tapisser le fond d'une casserole de tranches de pommes de terre. Y déposer la moitié des poissons, des fruits de mer et des oignons. Assaisonner ; recouvrir de pommes de terre, puis du reste des ingrédients ; et terminer avec une couche de pommes de terre.

Couvrir d'eau ou de fumet de poisson aux trois quarts ; déposer au four ; cuire 30 minutes.

Pâte à pot-en-pot : mélanger la farine, la poudre à pâte et le sel ; incorporer le beurre, puis le liquide. Abaisser la pâte à une épaisseur de 1 cm (1/2 po).

Retirer la casserole du four ; recouvrir la préparation avec l'abaisse ; remettre à cuire au four un autre 30 minutes, ou jusqu'à ce que la croûte soit dorée.

Dans ce plat acadien du XVIIIe siècle, on ajoutait de l'anguille. On peut la remplacer par des pétoncles ou des noix de coquilles Saint-Jacques. Couper alors les gros pétoncles en deux dans leur largeur.

Saumon, sauce aux œufs

Pour 4 personnes /
Préparation : 20 min /
Cuisson : 15 min

750 g (1 1/2 lb) de saumon frais
1/2 citron, coupé en fines tranches
30 ml (2 c. à soupe) de beurre
Quelques de graines de fenouil
Sel et poivre
1 petit oignon, haché fin
30 ml (2 c. à soupe) de beurre
15 ml (1 c. à soupe) d'huile
15 ml (1 c. à soupe) de farine
60 ml (1/4 tasse) de vin blanc
250 ml (1 tasse) de lait
3 œufs cuits dur, coupés en tranches
Cresson frais

Déposer le saumon sur une feuille de papier d'aluminium ; ajouter les tranches de citron, 1 c. à soupe de beurre, les graines de fenouil, le sel et le poivre. Sceller ; cuire 15 minutes au four préchauffé à 180 °C (350 °F). Faire revenir l'oignon dans l'huile et le reste du beurre ; ajouter la farine en tournant, puis le vin blanc et le lait. Mijoter quelques minutes.

Ajouter les œufs à la sauce ; dresser le saumon dans un plat de service ; napper de sauce. Garnir de cresson frais ; accompagner de pommes de terre à la vapeur.

Ce plat simple à réaliser, qui fut autrefois l'un des préférés des populations côtières du Québec, est toujours apprécié dans bien des familles. On peut émietter le saumon cuit et le mélanger à la sauce aux œufs.

Filet de doré aux amandes

Pour 4 personnes /
Préparation : 10 min /
Cuisson : 12 min

125 ml (1/2 tasse) de farine
Sel, poudre d'ail et poivre, au goût
6 filets de dorés
10 ml (2 c. à soupe) d'huile de tournesol
60 ml (4 c. à soupe) de beurre
125 ml (1/2 tasse) d'amandes, effilées et grillées
1 petite noix de beurre
1 citron, coupé en quartiers

BEURRE CITRONNÉ :
250 ml (1 tasse) de vin blanc
1 petit oignon ou **2** échalotes françaises, hachés fin
30 ml (2 c. à soupe) de jus de citron
60 ml (4 c. à soupe) de beurre
Sel et poivre, au goût

Mélanger la farine, le sel, la poudre d'ail et le poivre ; fariner les filets de doré ; réserver. Chauffer l'huile et le beurre dans une poêle ; y faire cuire le poisson pendant 3 minutes de chaque côté ; réserver au chaud.

Beurre citronné : verser le vin blanc dans une petite casserole avec l'oignon. Porter à ébullition et laisser réduire de moitié ; ajouter le jus de citron ; retirer du feu et incorporer le beurre en tournant. Saler et poivrer. Verser dans une saucière.

Dresser les filets dans un plat de service chaud ; faire revenir les amandes dans le beurre et en garnir les filets ; entourer de quartiers de citron. Servir aussitôt, en présentant la saucière de beurre citronné à part. Accompagner de pommes de terre à la vapeur et d'un légume vert.

Maquereaux grillés, au cidre

Pour 4 personnes /
Préparation : 20 min /
Cuisson : 25 min

4 maquereaux, vidés et lavés soigneusement
15 ml (1 c. à soupe) d'huile
60 ml (4 c. à soupe) de beurre
1 gros oignon, haché fin
1 carotte, coupée en brunoise (en dés minuscules)
60 ml (1/4 tasse) de persil, haché fin
1 feuille de laurier
5 ml (1 c. à thé) de sauge
1/2 citron : le jus
625 ml (2 1/4 tasses) de cidre sec
Beurre mou, pour badigeonner les maquereaux avant la cuisson au four
15 ml (1 c. à soupe) de poudre d'ail
1 1/2 citron, coupé en tranches fines
Sel et poivre, au goût

Préchauffer le four à 180 °C (350 °F). Égoutter les maquereaux. Dans une rôtissoire, chauffer l'huile et le beurre ; y faire revenir l'oignon, la carotte, le persil, la feuille de laurier et la sauge. Arroser de jus de citron ; laisser mijoter quelques minutes. Ajouter le cidre et amener à ébullition. Retirer la rôtissoire du feu.

Y déposer les maquereaux badigeonnés de beurre, saupoudrer de poudre d'ail, saler et poivrer. Déposer les rondelles de citron sur les maquereaux. Cuire au four 25 minutes. Servir avec le jus de cuisson et des pommes de terre à l'anglaise.

Sauce aux canneberges et à l'orange

500 ml (2 tasses) /
Préparation : 5 min /
Cuisson : environ 20 min

500 g (1 lb) de canneberges
125 ml (1/2 tasse) de jus d'orange
1 citron : le jus
125 ml (1/2 tasse) de sucre

Porter les ingrédients de la sauce à ébullition. Réduire la chaleur ; cuire à découvert jusqu'à tendreté des canneberges. Refroidir avant de servir.

Canneberges givrées au sucre d'érable

500 ml (2 tasses) /
Préparation : 5 min /
Cuisson : 20 min

500 g (1 lb) de canneberges (atocas)
125 ml (1/2 tasse) de sucre d'érable granulé, plus ou moins (au goût)

Préchauffer le four à 180 °C (350 °F). Dans une casserole, étendre une couche de canneberges et la saupoudrer de sucre d'érable. Ajouter une couche de canneberges et terminer par une autre couche de sucre d'érable. Recouvrir la casserole et mettre au four durant 1 heure.

Selon que l'on aime les canneberges plus ou moins acidulées, on réduira ou on augmentera la quantité de sucre d'érable.

Farine Grillée

Il existe deux façons de griller la farine :

1 – Farine grillée à la poêle sur le rond de la cuisinière

Déposer dans la poêle la quantité de farine demandée dans la recette. Sur un rond assez chaud, faire griller la farine, en la remuant continuellement à l'aide d'un fouet. Si la farine grille trop vite, réduire l'intensité de chaleur en continuant de fouetter la farine hors du feu, afin de bien mélanger la farine blanche et la farine qui commence à brunir. Répéter l'opération en remettant la poêle sur le rond de la cuisinière et en remuant la farine au fouet jusqu'à l'obtention d'une coloration uniformément brune, légèrement foncée (couleur marron).

2- Farine grillée à la poêle au four

Préchauffer le four à 200 °C (400 °F). Déposer dans la poêle la quantité de farine demandée dans la recette. Mettre la poêle au four et laisser colorer la surface de la farine. Sortir la poêle et mélanger au fouet la farine colorée du dessus avec celle encore blanche. Répéter l'opération jusqu'à l'obtention d'une teinte uniforme de couleur marron.

Entremets

L'entremets est un plat sucré qui se servait autrefois après le fromage. Aujourd'hui, on désigne davantage dans cette catégorie les mets à base de produits laitiers : crème, flan, œufs à la neige, diplomate, charlotte, blanc-manger, etc. Plusieurs de ces plats sont très populaires lors des repas du temps des fêtes : à Noël, au jour de l'An et à l'Épiphanie (les Rois).

Diplomate aux fruits confits

Pour 8 à 10 personnes / Préparation : 30 min /
Cuisson : 20 min / Réfrigération : 2 h ou plus

6 jaunes d'œufs, **4** œufs entiers, **1** soupçon d'extrait de vanille
250 ml (1 tasse) de sucre
1 l (4 tasses) de lait
1 sachet de gélatine neutre
30 ml (2 c. à soupe) d'eau tiède
250 ml (1 tasse) de crème à 35 %
60 ml (1/4 tasse) de sucre
250 ml (1 tasse) de fruits confits
28 biscuits doigts de dame, coupés en trois
Fruits confits ou frais, pour décorer

Battre ensemble les jaunes, les œufs entiers, la vanille et 125 ml (1/2 tasse) de sucre dans un bol ; réserver. Mettre le sucre restant et le lait dans une casserole à fond épais ; faire fondre à feu doux ; porter au point d'ébullition, puis laisser tiédir.

Verser le lait délicatement sur la préparation d'œufs, puis remettre le tout dans la casserole ; faire cuire à feu doux, en remuant à l'aide d'une cuillère de bois jusqu'à ce que le mélange nappe le dos de la cuillère (éviter de faire bouillir). Retirer cette crème anglaise du feu ; passer au tamis et en réserver le quart pour la présentation.

Faire dissoudre la gélatine dans l'eau et l'incorporer à la crème anglaise ; laisser refroidir à la température de la pièce.

Fouetter la crème 35 % avec le sucre ; l'incorporer délicatement à la crème anglaise refroidie, ainsi que les fruits confits. Dans un moule à cheminée, verser d'abord le tiers de la préparation dans le fond du moule ; couvrir de morceaux de biscuits et laisser prendre légèrement au froid. Couvrir d'une autre couche de la préparation, ajouter un autre rang de biscuits et laisser prendre à nouveau. Terminer par la préparation, puis réfrigérer le diplomate pendant au moins 2 heures.

Au moment de servir, démouler le diplomate sur une assiette de service. Garnir chaque portion de crème anglaise réservée, puis décorer de fruits frais ou confits.

Dans les familles bourgeoises du XIXe siècle, cet entremets était de toutes les grandes tables du temps des fêtes.

Crème québécoise à l'érable et aux amandes grillées

Pour 6 personnes /
Préparation : 10 min /
Cuisson : 5 min /
Congélation : 12 h

125 ml (1/2 tasse) d'amandes, effilées et grillées
6 jaunes d'œufs
250 ml (1 tasse) de sirop d'érable
500 ml (2 tasses) de crème 35 %, fouettée

Griller les amandes au four, sur une plaque à pâtisserie ; réserver. Battre les jaunes d'œufs dans un cul-de-poule. Faire bouillir le sirop d'érable dans une casserole, jusqu'à l'obtention de fils ; retirer du feu et verser lentement le sirop sur les jaunes d'œufs en battant constamment. Déposer le cul-de-poule sur une casserole contenant de l'eau à légers bouillonnements ; cuire la préparation jusqu'à épaississement, en remuant vivement à la cuillère de bois. Retirer du feu et laisser refroidir.

Lorsque la préparation à l'érable est refroidie ; incorporer délicatement la crème fouettée et les amandes grillées. Verser dans un moule rincé à l'eau froide. Mettre au congélateur pendant 12 heures.

Une recette traditionnelle québécoise du XIXᵉ siècle qui m'a été confiée il y a plus de 20 ans par madame Alice Lafontaine-Dumaine ; l'ajout d'amandes grillées est de sa fille Monique Dumaine-Bourque, de Lac-Mégantic.

Œufs à la neige

Pour 6 personnes /
Préparation : 45 min /
Cuisson : 20 min / Réfrigération : 2 h

6 blancs d'œufs
1 pincée de sel
500 ml (2 tasses) de sucre à glacer
750 ml (3 tasses) de lait
5 ml (1 c. à thé) d'extrait de vanille pure

CRÈME ANGLAISE :
6 jaunes d'œufs
250 ml (1 tasse) de sucre
15 ml (1 c. à soupe) de rhum

PRALIN :
250 ml (1 tasse) d'amandes mondées
250 ml (1 tasse) de sucre
1/2 citron : le jus
80 ml (1/3 tasse) d'eau

Huile, pour enduire la plaque

Verser les blancs d'œufs dans un bol ; ajouter une pincée de sel ; les monter en neige ferme, incorporer graduellement le sucre à glacer. Faire frémir le lait dans une casserole large peu profonde, ajouter la vanille ; mouler les blancs d'œufs en forme ovale à l'aide d'une cuillère et les faire pocher dans le lait environ 3 minutes de chaque côté ; égoutter et réserver.

Crème anglaise : battre les jaunes d'œufs et le sucre jusqu'à ce que le mélange pâlisse et forme un ruban ; y verser progressivement 625 ml (2 1/2 tasses) du lait ayant servi à pocher les blancs d'œufs ; cuire au bain-marie en remuant, jusqu'à ce que la sauce nappe la cuillère ; ne pas faire bouillir. Retirer du feu et déposer sur de la glace ; parfumer au rhum ; refroidir en tournant 10 minutes. Verser dans un bol ; réserver au frais.

Pralin : griller au four les amandes déposées sur une plaque environ 5 minutes ; hacher et réserver. Faire cuire à feu moyen le sucre, le jus de citron et l'eau, jusqu'à l'obtention d'un caramel clair. Lorsqu'une goutte de caramel déposée dans de l'eau glacée durcit (grand cassé), ajouter les amandes hachées ; attendre que l'ébullition reprenne. Retirer du feu. Verser le caramel sur une plaque froide huilée. Laisser prendre 10 minutes et émietter.

Verser la crème anglaise dans un plat de service ; y déposer délicatement les blancs d'œufs meringués et pochés ; saupoudrer de pralin. Réfrigérer 2 heures.

Les œufs à la neige au pralin ou « îles flottantes » composent un sublime entremets qui termine avec éclat un repas du temps des fêtes.

Mousse à l'érable

Pour 8 personnes /
Préparation : 25 min /
Réfrigération : 4 h

375 ml (1 1/2 tasse) de sirop d'érable
1 sachet de gélatine
60 ml (1/4 tasse) d'eau de source froide, pour dissoudre la gélatine
6 jaunes d'œufs
30 ml (2 c. à soupe) de cassonade
190 ml (3/4 tasse) de crème 35 %

Verser le sirop d'érable dans une casserole et le porter à ébullition ; retirer du feu et ajouter la gélatine dissoute en remuant constamment ; fouetter les jaunes d'œufs avec la cassonade jusqu'à consistance mousseuse ; incorporer au sirop d'érable ; mélanger jusqu'à refroidissement. Fouetter légèrement la crème (elle doit être plus onctueuse que ferme), puis l'incorporer à la préparation de jaunes d'œufs. Verser la mousse dans un bol de service ; réfrigérer 4 h.

La mousse à l'érable peut garnir un gâteau étagé, ou encore être servie avec une tranche de gâteau aux fruits confits.

Boulangerie, desserts et friandises

Le pain

Depuis les débuts de l'Acadie et de la Nouvelle-France, le colon a fabriqué son pain. Jusqu'au début des années 1960, on cuisait des fournées de pains dans les familles en milieu rural. Nourriture essentielle de ces familles souvent nombreuses, le pain de ménage et le pain de fesses étaient cuits à intervalles réguliers et constituaient un cérémonial transmis de mère en fille.

Les desserts

Les Acadiens et les Québécois ont toujours eu la « dent sucrée ». Quant aux recettes proprement dites, ce sont les premiers colons d'Acadie et de la Nouvelle-France qui rapportèrent dans leurs bagages les vieilles recettes de desserts de leur province d'origine. L'habitant ne tarda pas à développer des douceurs à partir des produits de leur nouveau pays. Parmi ceux-ci, l'érable, les noisettes, les baies et petits fruits sauvages furent autant de sources d'inspiration qui permirent la réalisation de délicieux gâteaux, tartes, biscuits, crêpes, galettes, beignets et bien d'autres apprêts sucrés.

La période anglaise fut d'un apport fructueux au chapitre des gâteaux, des tartes, des biscuits et des friandises. Le gâteau aux fruits, les poudings, la tarte recouverte d'une abaisse, la crêpe épaisse (pancake), les biscuits secs (cookies), le fudge au caramel et au chocolat, etc.

Les friandises

Les friandises ont été de toutes les époques. Les Gaulois avaient un penchant certain pour les douceurs. Depuis les dragées du roi Louis X (le Hutin), jusqu'aux bonbons qu'offrait Henri IV aux dames de sa cour, l'histoire dévoile plein d'anecdotes sur les passions sucrées des illustres hommes et femmes de France. Chez nous, les douceurs à l'érable et la fameuse tire Sainte-Catherine de Marguerite Bourgeoys s'inscrivent dans notre historique répertoire des sucreries nationales.

Pain « de fesses » ou de ménage

Donne 4 pains /
Préparation : 25 min / Repos : pâte, 1 h 30 / Cuisson : 50 min

10 ml (2 c. à thé) de sucre
2 enveloppes de levure
60 ml (1/4 tasse) de gras végétal
80 ml (1/3 tasse) de sucre
20 ml (4 c. à thé) de sel
500 ml (2 tasses) d'eau bouillante
250 ml (1 tasse) d'eau tiède
2,5 l (10 tasses) de farine
Beurre

Préchauffer le four à 220 °C (425 °F). Déposer dans un petit récipient la première quantité de sucre et la tasse d'eau ; y saupoudrer la levure ; laisser gonfler. Mettre dans un grand bol le gras, le sucre et le sel ; ajouter l'eau bouillante et l'eau froide. Laisser tiédir le liquide ; ajouter la levure gonflée et la moitié de la farine ; battre le tout. Ajouter graduellement d'autre farine afin d'obtenir une pâte molle. Travailler la pâte à la main, au fur et à mesure qu'elle s'affermit avec les ajouts de farine.

Déposer la pâte sur un espace enfariné et la pétrir quelques minutes, jusqu'à élasticité. Graisser et fariner un grand bol ; y déposer la boule de pâte et la badigeonner de gras ; couvrir d'un coton. Laisser la pâte doubler de volume. Affaisser la pâte à la main et la remettre sur la surface graissée. Couper la pâte en 4 portions égales. Rouler une à une les quantités de pâte en boule.

Répartir les boules de pâte façonnées dans 4 moules graissés et farinés. Badigeonner la surface des pains d'une matière grasse et, à la température ambiante, laisser doubler le volume des pains. Cuire les pains au four 15 minutes, puis réduire la température à 180 °C (350 °F) et poursuivre la cuisson 35 minutes ou jusqu'à cuisson complète. Retirer les pains du four, les renverser sur une grille placée sur le comptoir de la cuisine. Beurrer la surface des pains au pinceau, afin d'attendrir leur croûte. Refroidir les pains à l'air libre.

Dans les campagnes et les villes du Québec, nos mères cuisinaient le pain quotidien. Le « pain de fesses » s'obtient en déposant côte à côte deux boules de pâte dans un même moule. Cuit ainsi, le pain obtient ses belles rondeurs suggestives.

Beignes traditionnels

Donne 12 beignes et plus /
Préparation : 30 min / Repos : 30 min / Cuisson : environ 10 min

125 ml (1/2 tasse) de beurre mou
250 ml (1 tasse) de sucre)
3 œufs
1 1/4 l (5 tasses) de farine
30 ml (2 c. à soupe) de poudre à pâte
5 ml (1 c. à thé) de sel
1 soupçon de muscade râpée
125 ml (1/2 tasse) de crème 15 %
125 ml (1/2 tasse) de lait
Extrait de vanille, au goût
Huile ou gras végétal, pour la friture
Sucre d'érable granulé pour saupoudrer les beignes

Dans un bol, fouetter le beurre pour le rendre crémeux. Incorporer au fouet le sucre et les œufs, un à un, en battant entre chaque addition.

Dans un autre bol, mélanger la farine, la poudre à pâte, le sel et la muscade. Incorporer graduellement les ingrédients secs à la préparation crémeuse en fouettant énergiquement ; y verser la vanille et bien mélanger. Déposer la pâte sur un grand papier sulfurisé et la laisser reposer 30 minutes.

Abaisser la pâte au rouleau jusqu'à 1 cm (1/2 po) d'épaisseur. Découper à l'emporte-pièce ; il faut que la pâte soit souple et qu'elle se détache bien des mains. Frire les beignes jusqu'à belle dorure ; égoutter ; laisser tiédir et saupoudrer de sucre d'érable granulé.

NOTE : Les beignes plongés dans un chaud sirop d'érable aromatisé au brandy sont délicieux ; les y tremper un à un, les placer dans des assiettes et arroser de sirop chaud. Remplir la cavité de crème fouettée ou de crème glacée vanillée. Ô délice !

La meilleure façon de conserver les beignes est de les ranger dans une boîte métallique et de les entreposer au frais jusqu'au moment de servir. Ils sont encore meilleurs lorsqu'on les réchauffe un peu au four avant de les servir.

Biscuits à la crème sure et aux noix

Pour 24 biscuits /
Préparation : 15 min /
Cuisson : 10 min

250 ml (1 tasse) de farine
2,5 ml (1/2 c. à thé) de bicarbonate de soude
1 pincée de sel
125 ml (1/2 tasse) de crème sure
2 œufs
60 ml (1/4 tasse) de sucre
5 ml (1 c. à thé) d'extrait de vanille
125 ml (1/2 tasse) de noix, hachées grossièrement

Préchauffer le four à 190 °C (375 °F). Mélanger dans un bol la farine, le bicarbonate de soude et le sel. Dans un autre bol, combiner la crème sure, les œufs, le sucre et la vanille ; ajouter graduellement ce mélange aux ingrédients secs. Incorporer les noix.

Déposer la pâte à biscuits par cuillérées sur une plaque beurrée et cuire au four 10 minutes.

La crème sure et le babeurre permettent de réaliser de nombreux desserts, entremets et pâtisseries. Le répertoire culinaire québécois en recèle quelques-uns, tous aussi savoureux les uns des autres.

Biscuits au gingembre

Donne 12 biscuits /
Préparation : 30 min /
Cuisson : environ 10 min

60 ml (1/4 tasse) de beurre
250 ml (1 tasse) de cassonade
125 ml (1/2 tasse) de mélasse
2 œufs
500 ml (2 tasses) de farine
7,5 ml (1 1/2 c. à thé) de gingembre en poudre
30 ml (2 c. à soupe) de bicarbonate de soude

Préchauffer le four à 190 °C (375 °F). Défaire le beurre en crème dans un bol ; ajouter la cassonade, la mélasse et les œufs ; fouetter le tout.

Mélanger la farine, le gingembre et le bicarbonate de soude. Incorporer les ingrédients secs aux ingrédients crémeux. Pétrir légèrement pour former une pâte. Abaisser la pâte assez mince ; couper les biscuits à l'aide d'un emporte-pièce. Cuire 8 à 12 minutes sur une plaque graissée. Refroidir ; ranger dans une boîte métallique et entreposer dans un endroit sec.

Ces biscuits au gingembre étaient très appréciés dans les institutions religieuses du Québec. Ils étaient surtout offerts en collation quotidienne.

Biscuits à la mélasse

Donne 12 biscuits /
Préparation : 30 min /
Réfrigération : 2 h /
Cuisson : environ 10 min

1 1/4 l (5 tasses) de farine
15 ml (1 c. à soupe) de bicarbonate de soude
10 ml (2 c. à thé) de poudre à pâte
5 ml (1 c. à thé) de gingembre moulu
7,5 ml (1 1/2 c. à thé) de cannelle moulue
250 ml (1 tasse) de gras végétal
180 ml (3/4 tasse) de sucre
2 petits œufs, battus
250 ml (1 tasse) de mélasse
125 ml (1/2 tasse) de thé fort, longuement infusé

Dans un bol, mélanger la farine, le bicarbonate de soude, la poudre à pâte, le gingembre et la cannelle. Ramollir le gras végétal dans un autre bol ; y ajouter graduellement le sucre et les œufs battus. Battre la préparation au fouet jusqu'à légère consistance crémeuse.

Ajouter la mélasse et le thé ; ajouter ensuite les ingrédients secs et bien mélanger. Réfrigérer la pâte à biscuits durant 2 heures.

Préchauffer le four à 200 °C (400 °F). Abaisser la pâte au rouleau sur un espace de travail fariné, jusqu'à l'obtention d'une épaisseur de 0,5 cm (1/4 po). À l'aide d'un emporte-pièce, façonner des biscuits. Graisser une plaque à pâtisserie ; y placer les biscuits et cuire de 8 à 10 minutes.

Autrefois, le commerce entre l'Amérique et les Antilles était florissant. En échange des morues exportées dans les îles, on importait de la mélasse, du rhum et du sucre de canne.

Biscuits aux épices

Donne 3 à 4 douzaines de biscuits /
Préparation : 30 min /
Réfrigération : 30 min /
Cuisson : 15 à 20 min

560 ml (2 1/4 tasses) de farine
5 ml (1 c. à thé) de cannelle ou d'un mélange d'épices à gâteau
5 ml (1 c. à thé) de poudre à pâte
1 pincée de sel
185 ml (3/4 de tasse) de sucre
75 ml (5 c. à soupe) de beurre, coupé en petits dés
1 œuf
60 ml (1/4 de tasse) de sirop d'érable
Beurre, pour la plaque à biscuits

GLAÇAGE AU SUCRE :
250 ml (1 tasse) de sucre à glacer
15 ml (1 c. à soupe) d'eau chaude
Colorant alimentaire, si désiré

GLAÇAGE AU CHOCOLAT :
250 ml (1 tasse) de sucre à glacer
15 ml (1 c. à soupe) d'eau chaude
60 ml (1/4 tasse) de poudre de cacao

Mélanger la farine, la cannelle, la poudre à pâte et le sel dans un bol. Ajouter le sucre et le beurre ; travailler avec les doigts jusqu'à consistance granuleuse. Faire une fontaine au centre de la préparation ; y verser l'œuf fouetté avec le sirop d'érable. Mélanger au batteur électrique pour obtenir une boule de pâte ; la déposer dans un sac de plastique. Réfrigérer 30 minutes.

Préchauffer le four à 160 °C (325 °F). Abaisser la pâte à 0,5 cm (1/4 po) d'épaisseur. À l'aide d'un couteau ou d'un emporte-pièce, façonner d'amusants motifs de votre choix. Beurrer une plaque à biscuits et cuire les biscuits de 15 à 20 minutes, jusqu'à belle dorure. Retirer les biscuits du four. Laisser refroidir.

Mélanger ensemble les ingrédients du glaçage au sucre dans un bol ; réserver. Répéter la même opération pour le glaçage au chocolat dans un autre bol ; réserver.

Étaler un peu de glaçage sur les biscuits et décorer de cerises confites, d'amandes, de noix, de graines de sésame, de raisins secs, de vermicelles au chocolat, de Smarties, de paillettes de sucre arc-en-ciel, de chocolat, de fruits confits, etc.

On peut parfumer davantage ces biscuits en ajoutant des graines d'anis au mélange d'épices moulues. Ces biscuits ont beaucoup de succès auprès des enfants.

Beignes du Carnaval de Québec, au caramel

Donne 2 douzaines / Préparation : 30 min /
Cuisson : 8 min (beignes et sauce) / Réfrigération : 1 h

125 ml (1/2 tasse) de sucre
20 ml (4 c. à thé) de beurre
2 œufs
125 ml (1/2 tasse) de lait
7,5 ml (1 1/2 c. à thé) d'essence d'érable
250 ml (1 tasse) de farine
310 ml (1 1/4 tasse) de farine de sarrasin
10 ml (2 c. à thé) de poudre à pâte
1 pincée de sel

SAUCE AU CARAMEL :
30 ml (2 c. à soupe) de beurre
180 ml (3/4 tasse) de cassonade
60 ml (4 c. à soupe) de sirop de maïs
80 ml (1/3 tasse) de crème 35 %
2,5 ml (1/2 c. à thé) d'extrait de vanille

Mélanger le sucre avec le beurre et les œufs. Ajouter le lait, l'essence d'érable, les deux farines, la poudre à pâte et le sel. Mélanger le tout et réfrigérer pendant 1 heure. Pendant ce temps, préparer la sauce au caramel.

Sauce au caramel : faire fondre le beurre dans une casserole ; ajouter la cassonade et le sirop de maïs. Cuire à feu doux 4 minutes. Retirer du feu ; ajouter la crème et la vanille ; réserver.

Rouler la pâte à 0,5 cm (1/4 po) d'épaisseur. Tailler les beignes et les faire cuire dans une friture à 180 °C (350 °F). Égoutter les beignes, puis les tremper dans la sauce au caramel refroidie.

Sœur Angèle a le don de faire apprécier, aimer et redécouvrir les mets traditionnels. Ces beignes, de la capitale nationale, très populaires lors du Carnaval, méritent de réapparaître sur nos tables du temps des fêtes.

Beignets aux pommes

125 ml (1/2 tasses) de farine tout usage
250 ml (1/4 tasse) de vin blanc tiède
45 ml (3 c. à soupe) de sucre
1 pincée de sel
2 jaunes d'œufs
90 ml (6 c. à soupe) de beurre, ramolli
30 ml (2 c. à soupe) de cognac ou de brandy (facultatif)
2 blancs d'œufs, montés en neige
4 pommes McIntosh, pelées, évidées et coupées en deux dans la largeur
Gras végétal ou huile, pour la friture
Sucre d'érable granulé, au goût

Déposer la farine dans un bol ; y verser le vin blanc, ajouter le sucre, le sel et les jaunes d'œufs ; bien mélanger. Ajouter le beurre ramolli et le cognac ; mélanger la pâte à nouveau. Incorporer les blancs d'œufs montés en neige ; réserver.

Préparer le gras pour la friture, qui doit être très chaude. Plonger les demi-pommes dans la pâte et les faire frire lentement de chaque côté. Déposer les beignets sur du papier absorbant ; saupoudrer de sucre d'érable granulé. Servir très chaud.

NOTE : Pour bien réussir vos beignets, préparer la pâte la veille et incorporer les blancs d'œufs en neige au dernier moment. Choisir des pommes bien mûres et à chair tendre.

Charlotte aux pommes

Pour 6 personnes /
Préparation : 20 min /
Cuisson : 1 h /
Repos : 20 min

250 ml (1 tasse) de beurre doux (non salé)
14 pommes Cortland, épluchées, évidées, coupées en quartiers de 3,5 cm (1 1/2 po)
250 ml (1 tasse) de sucre
1 citron : le jus et le zeste, émincé
8 minces tranches de pain de mie
1 petit pot de gelée ou de confiture d'abricots
30 ml (2 c. à soupe) d'amandes effilées
60 ml (1/4 tasse) de kirsch ou d'une autre liqueur
Fruits frais, pour la décoration

Chauffer la moitié du beurre dans une poêle, jusqu'à couleur noisette ; ajouter les pommes et les sauter 5 minutes, puis ajouter le sucre ; sauter encore 5 minutes, jusqu'à mi-cuisson des pommes. Ajouter le jus et le zeste de citron ; réserver.

Couper les tranches de pain en deux ; les colorer légèrement à la poêle au beurre ; en couvrir les parois et le fond d'un moule à cheminée. Y verser les pommes ; cuire 30 minutes au four préchauffé à 180 °C (350 °F), sur une plaque dans laquelle on a mis un peu d'eau. Retirer du four ; laisser reposer 5 minutes. Retourner le moule sur un plat de service. Laisser reposer 15 minutes avant de retirer le moule.

Chauffer la gelée avec les amandes et la liqueur ; si on utilise de la confiture, la diluer avec un peu d'eau. Napper la charlotte en entier, ou la couper en portions et mettre une cuillérée de nappage sur chacune. Décorer les assiettes de framboises, de fraises, de kiwis, de mangues ou d'autres fruits.

Lors d'un repas festif, la charlotte aux pommes connaît toujours un réel succès auprès des convives.

Pouding aux raisins et au rhum, cuit à la vapeur

*Pour 4 à 6 personnes /
Préparation : 30 min / Cuisson : 45 min*

375 ml (1 1/2 tasse) de farine
10 ml (2 c. à thé) de poudre à pâte
1 œuf
30 ml (2 c. à soupe) de beurre
125 ml (1/2 tasse) de raisins secs
Eau, en quantité suffisante pour obtenir une pâte souple
5 l (20 tasses) d'eau bouillante

SAUCE AU RHUM :
250 ml (1 tasse) de mélasse
15 ml (1 c. à soupe) de beurre
45 ml (3 c. à soupe) de rhum brun antillais

Mélanger dans un bol la farine, la poudre à pâte, l'œuf, le beurre et les raisins secs. Ajouter un peu d'eau pour donner à la pâte une consistance souple ; la façonner en boule.

Mettre la boule de pâte dans un coton, en laissant 1/3 d'espace libre dans le tissu, afin de permettre le gonflement du pouding. Nouer solidement le coton avec une ficelle.

Déposer une assiette dans le fond d'une marmite de grande capacité ; y verser les 5 litres d'eau et porter à ébullition. Plonger le pouding dans l'eau bouillante et cuire 45 minutes. Pendant ce temps, préparer la sauce.

Sauce au rhum : dans une casserole, chauffer la mélasse et le beurre à feu moyen. Remuer constamment au fouet en ajoutant graduellement le rhum.

Retirer le coton de cuisson. Dresser le pouding au centre d'une assiette creuse et verser la sauce autour. Servir le pouding et la sauce toujours très chauds.

Plusieurs mets québécois, au chapitre des desserts, nous viennent des Anglais et des Écossais. Ce pouding, originaire de Terre-Neuve, est très apprécié aux îles françaises de Saint-Pierre-et-Miquelon.

Plum-pouding

Pour 10 personnes /
Préparation : 30 min /
Cuisson : environ 4 h

250 ml (1 tasse) de pruneaux, dénoyautés et hachés
500 ml (2 tasses) de raisins verts ou rouges, épépinés
180 ml (3/4 tasse) d'écorces d'agrumes confites
125 ml (1/2 tasse) d'amandes blanchies
250 ml (1 tasse) de suif, coupé en dés minuscules
250 ml (1 tasse) de cassonade
250 ml (1 tasse) de chapelure
250 ml (1 tasse) de farine, tamisée
5 ml (1 c. à thé) de poudre à pâte
2,5 ml (1/2 c. à thé) de bicarbonate de soude
5 ml (1 c. à thé) de sel
5 ml (1 c. à thé) de cannelle
2,5 ml (1/2 c. à thé) de muscade
1,5 ml (1/4 c. à thé) de gingembre
1,5 ml (1/4 c. à thé) de macis
1,5 ml (1/4 c. à thé) d'épices mélangées
1,5 ml (1/4 c. à thé) de clou de girofle moulu
375 ml (1 3/4 tasse) de pommes Granny Smith, pelées et coupées en brunoise (en dés minuscules)
250 ml (1 tasse) de carottes, râpées
125 ml (1/2 tasse) de betteraves crues, râpées
60 ml (1/4 tasse) de jus de raisin
3 œufs, battus en omelette

SAUCE AU MIEL ET À LA CRÈME :
125 ml (1/2 tasse) de miel
60 ml (4 c. à soupe) de beurre doux (non salé)
500 ml (2 tasses) de crème 35 % ou de crème d'antan
1 jaune d'œuf

Déposer les fruits, les écorces d'agrumes et les amandes dans un grand bol. Dans un autre bol, mêler ensemble le suif, la cassonade et la chapelure. Dans un troisième bol, combiner la farine tamisée, la poudre à pâte, le bicarbonate, le sel, la cannelle, la muscade, le gingembre, le macis, les épices mélangées et le clou de girofle. Ajouter les fruits au mélange de farine ; bien les mélanger dans la farine durant 2 minutes. Incorporer ensuite le mélange de suif, ainsi que les pommes, les carottes et les betteraves.

Verser le jus de raisin sur les œufs battus ; incorporer au précédent mélange de farine. Graisser et fariner un moule en couronne ou à pouding ; y verser les trois quarts du mélange. Couvrir d'une feuille de papier d'aluminium ; sceller hermétiquement. Placer le récipient dans un cuit-vapeur chinois et cuire environ 4 heures. Le pouding est cuit lorsqu'une lame de couteau plantée dans la pâte en ressort sèche. Refroidir le pouding à découvert avant de l'envelopper fermement pour le mettre à reposer quelques semaines.

Au moment de servir, réchauffer le pouding en le recuisant à la vapeur 1 heure 30 minutes. Durant ce temps, préparer la sauce au miel et à la crème, dont les ingrédients peuvent être doublés ou triplés, au besoin.

Sauce au miel et à la crème : faire fondre le miel avec le beurre dans une petite casserole ; ajouter graduellement la moitié de la crème, en amenant au point d'ébullition. Battre le jaune d'œuf avec la crème restante et l'ajouter dans la casserole ; amener au point d'ébullition en remuant au fouet, mais sans laisser bouillir. Retirer aussitôt du feu. Napper de sauce les portions de plum-pouding chaud.

NOTE : Préparer le plum-pouding de trois à quatre semaines avant Noël. Le placer dans un contenant métallique avec couvercle et le réserver au frais.

Tarte aux œufs

Pour 4 à 6 personnes /
Préparation : 20 min /
Cuisson : environ 25 min

1 abaisse de pâte brisée (ou feuilletée au choix)
2,5 ml (1/2 c. à thé) de beurre
1 œuf entier
2 jaunes d'œufs
60 ml (1/4 tasse) de sucre
160 ml (2/3 tasse) de lait
1 pincée de muscade râpée
2 blancs d'œufs, légèrement battus

Préchauffer le four à 200 °C (400 °F). Beurrer un moule à tarte de 1 l (9 po x 1 1/2 po) ; y étaler l'abaisse de pâte brisée. Battre au fouet l'œuf entier, les jaunes d'œufs et le sucre dans un bol ; ajouter graduellement le lait et la muscade râpée.

Humecter la pâte de blancs d'œufs battus ; verser la préparation aux œufs dans la tarte.

Cuire au four environ 15 minutes, puis terminer la cuisson de la tarte aux œufs à 180 °C (350 °F) pour une dizaine de minutes. Servir tiède.

Tarte au suif

Pour 4 à 6 personnes /
Préparation : 25 min /
Cuisson : 35 min

Beurre et farine
1 abaisse de pâte brisée
2,5 ml (1/2 c. à thé) de bicarbonate de soude
375 ml (1 1/2 tasse) de sirop d'érable
250 ml (1 tasse) de farine
250 ml (1 tasse) de cassonade
125 ml (1/2 tasse) de suif, coupé en dés minuscules

Préchauffer le four à 180 °C (350 °F). Beurrer et fariner un moule à tarte ; le tapisser d'une abaisse de pâte ; réserver.

Mélanger le bicarbonate et le sirop d'érable ; dissoudre en remuant. Verser le mélange sur l'abaisse de la tarte. Mélanger avec vos doigts la farine, la cassonade et les dés de suif jusqu'à l'obtention d'une pâte à texture granuleuse. Déposer cette préparation sur le sirop contenue dans l'abaisse.

Cuire la tarte au suif au four durant 35 minutes en prenant soin de glisser sous la tarte une plaque à pâtisserie, afin d'éviter le débordement de la garniture de la tarte durant la cuisson.

NOTE : En remplaçant le suif par du beurre, on obtient une tarte au sucre.

La tarte au suif est une vieille recette. Davantage connue des familles en milieu rural que des familles en milieu urbain, elle était le dessert indiqué pour donner l'énergie nécessaire pour entamer les travaux de la ferme ou pour affronter le froid hivernal.

Tarte à la farlouche

*Pour 6 personnes /
Préparation : 20 min /
Cuisson : 10 min /
Réfrigération : 3 h*

1 grande abaisse de pâte brisée de 22,5 cm (environ 9 po), déjà cuite
750 ml (3 tasses) d'eau de source
250 ml (1 tasse) de mélasse
250 ml (1 tasse) de cassonade
1 citron : le zeste
1 soupçon de muscade râpée
125 ml (1/2 tasse) de fécule de maïs

Dans une casserole, mélanger la mélasse, 500 ml de l'eau, la cassonade, le zeste et la muscade. Porter à grande ébullition. Dans un bol, délayer la fécule de maïs avec le reste de l'eau (250 ml), en ajoutant un peu du liquide bouillant ; bien mélanger et verser la fécule délayée dans le mélange chaud. Laisser mijoter quelques minutes en remuant bien à l'aide d'une cuillère de bois.

Verser la préparation dans l'abaisse de tarte cuite ; réfrigérer pour que la préparation raffermisse.

NOTE : Pour faire une tarte aux raisins, il suffit d'ajouter des raisins secs à la préparation.

Tarte à la farlouche, fourlouche ou ferlouche, l'appellation varie d'une région québécoise à une autre. Certains la nomment « pichoune », quand la tarte ne contient pas de raisins, et « farlouche », quand elle en a… Beau débat linguistique en perspective !

Tarte aux pommes à l'ancienne

Pour 6 à 8 personnes /
Préparation : 25 min / Cuisson : environ 35 min

500 g (1 lb) de pâte brisée, toute préparée
8 pommes McIntosh ou Empire, pelées, évidées, coupées en tranches épaisses
1 œuf : blanc et jaune séparés
15 ml (1 c. à soupe) de beurre
30 ml (2 c. à soupe) de jus de citron
125 ml (1/2 tasse) de sucre
1 pincée de sel
Muscade râpée, au goût

Abaisser la pâte et foncer le moule à tarte et ses rebords ; détacher le surplus de pâte du contour du moule. Préchauffer le four à 180 °C (350 °F). Piquer à la fourchette la pâte dans le fond du moule.

Déposer la croûte dans le four et la cuire environ 5 minutes, ou jusqu'à belle dorure ; retirer aussitôt et refroidir. Badigeonner la croûte de blanc d'œuf ; y disposer les quartiers de pommes. Parsemer des noix de beurre sur les pommes ; arroser de jus de citron. Mélanger le sucre, le sel et la muscade râpée ; saupoudrer la surface des pommes de ce mélange.

Recouvrir la tarte aux pommes de bandelettes de pâte ou d'une autre abaisse de pâte complète ; pratiquer alors des incisions à la surface de la pâte. Mettre la tarte à cuire au four durant environ 30 minutes.

NOTE : On peut garnir le fond de la tarte de compote de pommes et ajouter des morceaux de pommes en surface. Servir la tarte chaude et l'accompagner d'une pointe de cheddar fort ou de crème glacée à la vanille. Pour une tarte plus épaisse, choisir un moule profond. En saupoudrant vos pommes de muscade râpée, vous respectez la tradition française ; quant aux Anglais, ils préfèrent la cannelle.

La tarte aux pommes, accompagnée d'une pointe de cheddar fort, était au menu de tous les restaurants et grands hôtels québécois du XIXᵉ siècle. Au début des années 1950, Charles Trenet découvrit ce délice à Québec et en fit l'un de ses desserts préférés.

Tarte aux pommes à la québécoise

Pour 6 à 8 portions /
Préparation : 20 min / Réfrigération : 30 min / Cuisson : 40 min

Pâte à tarte :
500 ml (2 tasses) de farine
1 pincée de sel
250 ml (1 tasse) de gras végétal ou de beurre
180 ml (3/4 tasse) d'eau

GARNITURE :
5 pommes à cuire, pelées et coupées en morceaux
15 ml (1 c. à soupe) de tapioca minute fin
60 ml (4 c. à soupe) de sucre
Cannelle moulue ou muscade râpée au goût
1 œuf battu avec **15 ml (1 c. à soupe)** de lait

Pâte à tarte : préchauffer le four à 180 °C (350 °F). Mélanger la farine et le sel, y couper le gras jusqu'à l'obtention d'une texture granuleuse. Faire une fontaine au centre ; y verser l'eau d'un coup ; mélanger d'abord avec une cuillère, puis travailler avec les mains sans pétrir. La pâte doit être souple et non collante ; laisser reposer 30 minutes au réfrigérateur. En faire deux abaisses.

Garniture : couvrir le fond d'une assiette à tarte d'une abaisse de pâte et y étaler le tapioca. Recouvrir de morceaux de pommes ; saupoudrer de sucre, de cannelle moulue ou de muscade râpée.

Badigeonner les rebords du moule d'un peu d'eau et surmonter la tarte d'une autre abaisse en soudant le rebord ; pratiquer des incisions sur le dessus. Cuire 40 minutes au four préchauffé. Badigeonner de l'œuf battu à mi-cuisson.

Pour la tarte aux pommes à la québécoise, les pommes, coupées en quartiers sont déposées sur l'abaisse de pâte brisée et saupoudrées de sucre et de muscade râpée. La tarte est recouverte d'une autre abaisse avant la cuisson. La tarte se congèle et se réchauffe au four 20 minutes. Le tapioca absorbe le jus des pommes durant la cuisson.

Tarte au sirop d'érable et aux noix

Pour 6 personnes /
Préparation : 20 min /
Cuisson : 40 min

1 abaisse de pâte au choix
375 ml (1 1/2 tasse) de noix de Grenoble
3 œufs, légèrement battus
15 ml (1 c. à soupe) de farine
250 ml (1 tasse) de sirop d'érable
2 pincées de sel
90 ml (6 c. à soupe) de beurre, fondu et refroidi

Abaisser la pâte, la déposer dans une assiette à tarte (beurrée et farinée) assez profonde ; recouvrir de noix ; réserver. Travailler ensemble, dans un bol, les œufs battus, la farine, le sirop d'érable, le sel et le beurre fondu. Verser la préparation dans l'assiette à tarte.

Cuire au four 15 minutes à 200 °C (400 °F) ; réduire ensuite à 180 °C (350 °F) et cuire 25 autres minutes.

Servir tiède avec de la crème glacée ou de la crème fouettée (crème Chantilly).

La coulée de la sève d'érable annonce l'arrivée du printemps québécois. L'art de transformer la sève en sirop et en sucre a été légué par les Amérindiens aux colons, dès les débuts de la Nouvelle-France.

Tarte aux dattes de Juliette Major

Pour 6 personnes /
Préparation : 20 min /
Cuisson : 35 min

2 abaisses de pâte brisée, sablée ou feuilletée, de 22,5 cm (9 po)
375 ml (1 1/2 tasse) de dattes dénoyautées, hachées grossièrement
125 ml (1/2 tasse) de brandy ou de cognac
125 ml (1/2 tasse) de cassonade
60 ml (1/4 tasse) de beurre doux (non salé), fondu
3,5 ml (3/4 c. à thé) de muscade
2,5 ml (1/2 c. à thé) de sel
125 ml (1/2 tasse) de sirop de maïs
3 œufs
375 ml (1 1/2 tasse) de noix de Grenoble, hachées grossièrement
1 œuf, pour badigeonner le dessus de la tarte

Préchauffer le four à 190 °C (375 °F). Dans un bol, mélanger les dattes et le brandy jusqu'à l'obtention d'une pâte homogène.

Dans un autre bol, combiner la cassonade, le beurre fondu, la muscade et le sel. Ajouter le sirop de maïs, les trois œufs ; bien mélanger, puis ajouter les noix et les dattes.

Placer l'abaisse de 22,5 cm (9 po) de diamètre dans une assiette à tarte, y verser la préparation ; recouvrir de l'autre abaisse. Fouetter le dernier œuf et en badigeonner le dessus de la pâte. Cuire au four 35 minutes.

Cette recette de tarte aux dattes est une autre trouvaille. Elle vient d'une amie qui la tient de sa maman, à qui elle a été transmise par sa propre mère, toutes originaires de Sainte-Agathe-des-Monts.

Tarte au vinaigre

Pour 6 personnes /
Préparation : 20 min / Cuisson : 40 min

Pâte brisée ou feuilletée, pour les abaisses
4 œufs : jaunes et blancs séparés et réservés
180 ml (3/4 tasse) de cassonade
60 ml (1/4 tasse) de farine
10 ml (2 c. à thé) d'épices moulues mélangées : cannelle, muscade, piment de la Jamaïque et clous de girofle
1 pincée de sel
250 ml (1 tasse) de crème sure
45 ml (3 c. à soupe) de beurre fondu
125 ml (1/2 tasse) de noix de Grenoble, hachées
250 ml (1 tasse) de raisins secs
45 ml (3 c. à soupe) de vinaigre de cidre ou de vin

Préchauffer le four à 230 °C (450 °F). Battre les jaunes d'œufs dans un bol jusqu'à légèreté. Dans un autre bol, battre ensuite les blancs en neige, en y incorporant la cassonade ; fouetter jusqu'à consistance d'une meringue. Verser le mélange de blancs d'œufs et de cassonade dans les jaunes d'œufs.

Mélanger la farine, les épices et le sel ; incorporer ce mélange aux œufs, en y intégrant graduellement la crème sure ; bien mélanger le tout. Ajouter alors le beurre fondu au mélange, tout en continuant de bien mêler les ingrédients. Incorporer les noix, les raisins et le vinaigre ; mélanger.

Couvrir le fond d'une assiette à tarte d'une abaisse de pâte feuilletée ou brisée ; y verser le mélange au vinaigre. Cuire d'abord 5 minutes. Réduire la température à 180 °C (350 °F) et poursuivre la cuisson de la tarte jusqu'à ce que la garniture n'adhère plus à une lame de couteau enfoncée dans la préparation, environ 35 minutes. Laisser refroidir. Accompagner d'une crème fouettée.

Dans les ouvrages de cuisine d'autrefois, particulièrement dans ceux rédigés par les religieuses enseignant les arts ménagers, on retrouve cette recette de tarte au vinaigre, dont l'originalité ne fait aucun doute.

Gâteau aux fruits au babeurre

AVEC SAUCE CARAMEL AU RHUM

Pour 8 personnes /
Préparation : 25 min /
Cuisson : gâteau : 2 h 30, caramel : 30 min

30 ml (2 c. à soupe) de beurre mou ou de margarine
500 ml (2 tasses) de farine
5 ml (1 c. à thé) de bicarbonate de soude
2,5 ml (1/2 c. à thé) de cannelle moulue
2,5 ml (1/2 c. à thé) de clou de girofle moulu
1 pincée de muscade râpée
1 œuf
125 g (1/2 tasse) de cassonade
375 g (3/4 lb) de fruits secs hachés ou de fruits confits
1/2 citron : le zeste
30 ml (2 c. à soupe) de rhum
125 ml (1/2 tasse) de mélasse ou de sirop d'érable
250 ml (1 tasse) de babeurre ou de lait écrémé

SAUCE CARAMEL AU RHUM :
250 ml (1 tasse) de sucre
1 citron : le zeste
2,5 ml (1/2 c. à thé) de cannelle moulue
500 ml (2 tasses) d'eau froide
125 g (1/2 tasse) de sucre
60 ml (1/4 tasse) d'eau
180 ml (3/4 tasse) de rhum brun

Préchauffer le four à 160 °C (325 °F). Beurrer et tapisser un moule à gâteau de 18 cm (7 po) de papier sulfurisé.

Passer ensemble au tamis, au-dessus d'un bol, la farine, le bicarbonate et les épices ; incorporer l'œuf, la cassonade, les fruits, le zeste et le rhum. Y verser la mélasse et le babeurre (ou le lait) graduellement, en mélangeant et en battant vigoureusement la préparation à l'aide d'une cuillère en bois (le mélange doit devenir onctueux). Verser alors la pâte dans le moule ; le placer au four et cuire le gâteau 2 heures 30 minutes, ou jusqu'à ce qu'une lame de couteau plantée au centre du gâteau en ressorte sèche.

Pendant la cuisson du gâteau, préparer la sauce caramel au rhum.

Sauce caramel au rhum : déposer la première quantité de sucre dans une casserole épaisse avec le zeste, la cannelle et l'eau ; porter à ébullition et laisser mijoter 20 à 25 minutes. Dans une autre casserole à fond épais, faire caraméliser l'autre quantité de sucre avec les 60 ml (1/4 tasse) d'eau. Quand le sucre est devenu d'une belle teinte ambrée, verser le sirop de l'autre casserole sur ce caramel ; incorporer le rhum et bien mélanger. Réserver au bain-marie.

Quand le gâteau a tiédi, le démouler sur une grille ; laisser refroidir avant de trancher. Napper chaque tranche de gâteau de sauce caramel au rhum ; présenter le reste de la sauce dans une saucière.

Pour cette recette ancienne de gâteau au babeurre et aux fruits confits, le caramel au rhum demeure l'accompagnement idéal.

Bûche de Noël

GÂTEAU :
6 œufs
250 ml (1 tasse) de sucre
450 ml (1 3/4 tasse) de farine
5 ml (1 c. à thé) de poudre à pâte
1 pincée de sel

CRÈME AU BEURRE :
250 g (1/2 lb) de beurre doux (non salé)
625 à 750 ml (2 1/2 à 3 tasses) de sucre à glacer
2 œufs
Liqueur préférée : Cointreau, Grand Marnier, Triple-Sec, etc.

Gâteau : préchauffer le four à 230 °C (450 °F). Fouetter les œufs jusqu'à ce qu'ils soient mousseux ; ajouter le sucre par petites quantités à la fois. Incorporer la farine, préalablement mélangée avec la poudre à pâte et le sel, en pliant délicatement à l'aide d'une spatule.

Beurrer une plaque et y déposer un papier sulfurisé, également beurré, de dimension supérieure à celle de la plaque (il doit déborder d'environ 5 cm/2 po). Étendre la préparation, qui sera aussi mince que 0,5 cm (1/4 po), sur ce papier. Mettre au four et baisser la température à 200 °C (400 °F), pour environ 10 minutes.

Retirer le papier ayant servi à la cuisson. Déposer un papier sulfurisé sur un linge propre et y démouler le gâteau (la dimension du linge doit être supérieure à celle du gâteau). Si le papier de cuisson adhère au gâteau quand vous le démoulez, mouiller ce papier avec un pinceau trempé dans de l'eau. Recouvrir le gâteau avec un autre papier sulfurisé et le rouler pour lui donner sa forme en vous servant du linge. Il arrive que le gâteau craque et se brise au départ, mais tout cela ne paraîtra plus une fois la bûche roulée. Couvrir d'un linge humide et refroidir.

Crème au beurre : ramollir le beurre en crème ; le travailler au fouet avec le sucre, puis ajouter les œufs un à un, en battant bien entre chaque addition ; parfumer.

Étendre une mince couche de crème au beurre sur la bûche refroidie. Rouler la bûche à nouveau, en prenant soin de placer la fin du roulé en dessous. Couper chaque extrémité en biseau. Déposer ces morceaux sur la bûche : ils serviront à imiter des nœuds de bûche ou des branches coupées. Recouvrir le tout de crème au beurre sur laquelle on passe une fourchette ou un peigne pour imiter l'écorce. On peut se fabriquer un peigne en carton en le découpant en dents de scie.

Une poche de pâtissier à douille étoilée permettra de finir la décoration de base en garnissant le pourtour d'une crème au beurre d'une couleur différente.

Enfin, votre inspiration et votre créativité vous guideront pour la décoration.

Ce gâteau se prépare à l'avance et se congèle. Il se prête à de multiples décorations : personnages en bibelot, feuilles de gui, clochettes, etc. Utilisez des produits comestibles (sablés, meringue, pâte d'amandes) pour façonner cloches, hachettes et champignons.

Galette des Rois

Pour 10 à 12 portions / Préparation : 40 min /
Repos : 1 h / Cuisson : 40 à 50 min

500 g (1 lb) de pâte feuilletée

FRANGIPANE : (PRÉPARATION AUX AMANDES POUR LA GALETTE)
160 ml (2/3 tasse) de beurre doux (non salé)
3 œufs
160 ml (2/3 tasse) de sucre
250 ml (1 tasse) d'amandes, broyées en poudre
80 ml (1/3 tasse) de farine
Extrait de vanille ou kirsch, au goût
Jaune d'œuf battu, avec quelques gouttes de lait.

Frangipane : mélanger tous les ingrédients de la frangipane. Si l'on a de la crème pâtissière sous la main, en ajouter quelques cuillérées. Réserver la frangipane.

Préchauffer le four à 220 °C (425 °F). Diviser la pâte feuilletée en deux parties et les étendre chacune en un carré de 30 cm (12 pouces) ; ne pas oublier d'enfariner un espace de travail avant d'étaler la pâte.

Beurrer une plaque allant au four ; y déposer une abaisse de pâte feuilletée ; étendre la frangipane en ayant soin de laisser une marge de 2 à 3 cm (environ 1 po). Mouiller cette marge avec un pinceau trempé dans de l'eau ou dans le jaune d'œuf battu. Placer ensuite l'autre carré de pâte feuilletée par-dessus, en appuyant légèrement pour souder les deux pâtes. Laisser reposer 1 heure.

Badigeonner le dessus de la pâte avec l'œuf battu additionné de quelques gouttes de lait et pratiquer des incisions sur la surface de la pâte, pour éviter les ballonnements. Déposer au four la plaque beurrée contenant la galette et en réduire aussitôt la température à 200 °C (400 °F). Cuire de 40 à 50 minutes.

À la sortie du four, badigeonner la galette avec un peu de sirop d'érable pour donner de l'éclat. D'autres fantaisies sont aussi permises : saupoudrer de sucre à glacer, napper d'un fondant avec une garniture aux cerises, etc.

La coutume veut que l'on ajoute un pois (le roi) et une fève (la reine) dans la galette des rois. On les dispose alors chacun dans une des deux moitiés de la galette, qu'on décore différemment en surface afin de reconnaître le côté roi du côté reine.

Pancake aux bleuets avec crème fouettée

Pour 6 personnes / Préparation : 15 min /
Macération : 3 h / Cuisson : 15 min

500 g (1 lb) de bleuets
250 ml (1 tasse) de sucre
250 ml (1 tasse) de crème 35 % froide (montée au sucre et à l'extrait de vanille)

PÂTE À PANCAKE :
250 ml (1 tasse) de farine
7,5 ml (1 1/2 c. à thé) de poudre à pâte
1 pincée de sel
2 gros œufs battus
10 ml (2 c. à thé) de sucre
180 ml (3/4 tasse) de lait
5 ml (1 c. à thé) d'extrait de vanille
15 ml (1 c. à soupe) de beurre fondu

Faire macérer les bleuets dans le sucre 3 heures, jusqu'à ce qu'ils aient rendu leur jus ; porter à ébullition et laisser réduire afin d'obtenir un sirop clair ; refroidir.

Pâte à pancake : combiner la farine, la poudre à pâte et le sel ; faire une fontaine au centre ; y ajouter les œufs battus et le sucre. Incorporer ensuite progressivement le lait ; ajouter la vanille et le beurre fondu.

Verser la pâte, par cuillérées, dans une poêle de 15 cm (6 po) de diamètre légèrement huilée ; retourner la crêpe dès la formation de petites bulles à la surface.

Napper de sirop aux bleuets ou d'érable. Accompagner de crème épaisse ou fouettée ; décorer avec les bleuets. Servir aussitôt.

Les mots anglais « pan » (poêle) et « cake » (gâteau) sont à l'origine du nom. Ces crêpes épaisses et pas très larges ont la faveur des Nord-Américains au petit-déjeuner. Au Québec, elles se préparent parfois aux bleuets et, une fois arrosées de sirop de bleuets ou d'érable, elles s'accompagnent de crème épaisse ou fouettée.

Gâteau au chocolat, crème au beurre

*Pour 8 à 10 personnes /
Préparation : 35 min /
Cuisson : 45 min*

310 ml (1 1/4 tasse) de cassonade
180 ml (3/4 tasse) de beurre
3 œufs
85 g (3 oz) de chocolat noir, fondu dans 125 ml (1/2 tasse) d'eau
625 ml (2 1/2 tasses) de farine
5 ml (1 c. à thé) de poudre à pâte
7,5 ml (1 1/2 c. à thé) de bicarbonate de soude
180 ml (3/4 tasse) de crème sure
5 ml (1 c. à thé) d'extrait de vanille

CRÈME AU BEURRE :
180 ml (3/4 tasse) de sucre
80 ml (1/3 tasse) de café fort
5 jaunes d'œufs
250 ml (1 tasse) de beurre

GLACE :
2 blancs d'œufs
500 ml (2 tasses) de sucre à glacer
1/2 citron : le jus

Préchauffer le four à 180 °C (350 °F). Battre la cassonade et le beurre jusqu'à ce que le mélange pâlisse, incorporer les œufs un à un, puis le chocolat fondu ; refroidir. Ajouter la farine, la poudre à pâte et le bicarbonate de soude, en alternant avec la crème sure et la vanille. Verser dans un moule beurré et cuire au four environ 40 minutes ; laisser refroidir.

Crème au beurre : amener à ébullition le sucre dissous dans le café et faire réduire jusqu'à l'obtention de fils (grand filet, 102 °C / 215 °F) ; verser progressivement sur les jaunes d'œufs en battant vigoureusement jusqu'à ce que le mélange soit froid et mousseux ; incorporer au beurre battu en crème ; réserver à température ambiante.

Glace : battre les blancs d'œufs avec la moitié du sucre à glacer et le jus de citron, jusqu'à ce que le mélange soit léger et soyeux ; incorporer progressivement le reste du sucre et battre jusqu'à épaississement. Couvrir et réserver au frais.

Couper le gâteau en trois étages ; étendre la crème au beurre entre les couches et recouvrir le tout de la glace aux blancs d'œufs.

Ce gâteau d'origine française, riche en beurre, a été durant de longues années un délice coûteux réservé aux familles bourgeoises du Québec.

Gâteau aux petits fruits secs et aux noisettes

À SAVEUR DE BAIES D'AMÉLANCHIER ET DE BRANDY DE POMMES

Pour 8 à 10 personnes /
Préparation : 30 min /
Macération : 24 h / Cuisson : 3 h

375 ml (1 1/2 tasse) de bleuets séchés
375 ml (1 1/2 tasse) de canneberges séchées
625 ml (2 1/2 tasses) de brandy de pommes de Rougemont (Cidrerie Michel Jodoin)
125 ml (1/2 tasse) de beurre
250 ml (1 tasse) de sucre (d'érable ou autre)
4 œufs
375 ml (1 1/2 tasse) de farine
5 ml (1 c. à thé) de poudre à pâte
1 pincée de sel
250 ml (1 tasse) de noisettes ou d'avelines mondées, hachées grossièrement
125 ml (1/2 tasse) de baies d'amélanchier dans l'alcool, égouttées, si désiré

Mettre les bleuets et les canneberges séchés dans un récipient ; les arroser de brandy de pommes ; laisser macérer 24 heures à couvert.

Préchauffer le four à 150 °C (300 °F). Battre le beurre en crème, ajouter le sucre, puis les œufs un à un, en battant bien entre chaque addition. Incorporer la farine, la poudre à pâte et le sel combinés ; ajouter ensuite les fruits macérés avec leur jus et les noisettes hachées.

Beurrer et fariner un moule ou en tapisser le fond et les côtés de papier sulfurisé afin de faciliter le démoulage. Verser la pâte à gâteau dans le moule ; le déposer au four et cuire 2 heures. Diminuer ensuite la température du four à 120 °C (250 °F) et poursuivre la cuisson environ une heure, ou jusqu'à ce qu'une lame enfoncée dans la pâte en ressorte propre.

Bien refroidir le gâteau avant de le découper. Garnir chaque tranche de quelques baies d'amélanchier dans l'alcool, si désiré, avant de servir. Ce gâteau, bien enveloppé dans une feuille de papier d'aluminium, se conserve un bon mois.

La recette du gâteau aux petits fruits sauvages séchés vient de notre imagination, mais elle s'inspire de la grande tradition culinaire québécoise d'antan. Le brandy de pommes est produit à Rougemont par la Cidrerie Michel Jodoin.

Pouding-chômeur

Pour 6 à 8 personnes /
Préparation : 15 min / Cuisson : 30 min

SAUCE DU POUDING :
375 ml (1 1/2 tasse) d'eau
500 ml (2 tasses) de cassonade
30 ml (2 c. à soupe) de beurre
5 ml (1 c. à thé) d'extrait de vanille
15 ml (1 c. à soupe) de beurre

PÂTE DU POUDING :
1 œuf
125 ml (1/2 tasse) de sucre
5 ml (1 c. à thé) d'extrait de vanille
250 ml (1 tasse) de farine
10 ml (2 c. à thé) de poudre à pâte.
1 pincée de sel
125 ml (1/2 tasse) de lait

Mélanger tous les ingrédients de la sauce sauf le beurre dans une casserole et porter à ébullition. Retirer du feu ; ajouter le beurre en remuant. Verser dans un moule beurré ; réserver.

Pâte du pouding : battre l'œuf et le sucre jusqu'à ce que le mélange blanchisse et fasse un ruban. Incorporer la vanille, puis la farine, la poudre à pâte et le sel, en alternant avec le lait ; bien battre la pâte.

Verser la pâte sur le sirop chaud et cuire pendant 30 minutes au four préchauffé à 180 °C (350 °F).

Le pouding-chômeur, une création montréalaise, doit sa popularité à la femme de Camilien Houde, maire de Montréal durant la crise des années 1930-1940. L'infortune des uns obligeait les mères à user d'ingéniosité pour gâter leur marmaille. Le sucre valant son pesant d'or, la cassonade, faite d'un résidu de sirop de canne, était plus économique. Ce dessert est toujours apprécié, et le cinéaste québécois Gilles Carle a même réalisé un film ayant pour titre Pouding Chômeur, dans lequel Chloé Sainte-Marie tient le rôle principal.

Grands-pères au sirop d'érable

Pour 6 personnes /
Préparation : 20 min / Cuisson : environ 30 min

750 ml (3 tasses) de sirop d'érable
250 ml (1 tasse) d'eau de source
1 pincée de sel

PÂTE À GRANDS-PÈRES :
500 ml (2 tasses) de farine
30 ml (2 c. à soupe) de poudre à pâte
2 pincées de sel
80 ml (1/3 tasse) de beurre
100 ml (3/4 tasse) de lait

Dans une casserole, mettre le sirop d'érable, l'eau et le sel à bouillir. Laisser mijoter 10 minutes.

Pâte à grands-pères : mélanger dans un bol la farine, la poudre à pâte et le sel. Découper le beurre en granules dans le mélange de farine, à l'aide de 2 couteaux ; ajouter le lait et, sans trop la manipuler, former une pâte granuleuse.

Faire glisser, à l'aide de 2 cuillères, la pâte à grands-pères dans le sirop chaud. Couvrir la casserole et laisser frémir 20 minutes. Servir les grands-pères très chauds.

Il existe dans le monde plusieurs gastronomies préparant des petites pâtes façonnées de toutes les manières et portant des appellations différentes. Ainsi, les gnocchis sont similaires aux grands-pères québécois, lesquels se dégustent dans des ragoûts ou encore en guise de desserts.

Croquignoles au lait et au brandy

Pour 6 personnes /
Préparation : 20 min / Cuisson : 8 min

500 ml (2 tasses) de lait
6 œufs
375 g (3/4 lb) de beurre, ramolli
375 ml (1 1/2 tasse) de cassonade
30 ml (2 c. à soupe) de poudre à pâte
15 ml (1 c. à soupe) de bicarbonate de soude
125 ml (1/2 tasse) de brandy
2 l (8 tasses) de farine

POUR LA FRITURE ET LA PRÉSENTATION :
Huile
Sucre en poudre (à glacer) ou sucre d'érable granulé

Réunir tous les ingrédients et en faire une pâte ferme. Fariner un espace de travail ; y pétrir la pâte et l'abaisser au rouleau à 0,5 cm (1/4 po) d'épaisseur. Tailler la pâte en carrés de 5 cm x 5 cm (2 po x 2 po) ; pratiquer des incisions au couteau à la surface. Chauffer l'huile à haute température ; y dorer les carrés de pâte environ 4 minutes de chaque côté, ou jusqu'à belle dorure.

Déposer les carrés de pâte frits sur un papier absorbant et saupoudrer de sucre à glacer ou de sucre d'érable granulé.

Les croquignoles sont d'origine française. Il existe bien des variantes de ces beignets dans les cahiers de cuisine des régions de France. Au Québec, leur popularité n'a pas diminué depuis les débuts de la Nouvelle-France.

Biscuits aux amandes et aux fruits confits

Donne environ 50 biscuits /
Préparation : 25 min /
Cuisson : 10 min

60 ml (1/4 tasse) de beurre ramolli
125 ml (1/2 tasse) de sucre
1 œuf
500 ml (2 tasses) de farine
250 ml (1 tasse) d'amandes moulues
375 ml (1 1/2 tasse) de fruits confits
Sucre, pour saupoudrer les biscuits
Fruits confits ou pâte d'amandes pour décorer (facultatif)

Bien battre le beurre et le sucre ; incorporez l'œuf. Ajoutez graduellement la farine et les amandes, puis les fruits confits.

Préchauffer le four à 160 °C (325 °F). Abaisser la pâte et la découper à l'emporte-pièce. Faire cuire les biscuits sur une plaque beurrée pendant 10 minutes.

Saupoudrer de sucre à la sortie du four ; décorer au goût de fruits confits et de pâte d'amandes.

Ces biscuits traditionnels aux amandes et aux fruits confits sont délicieux avec une bonne tasse de thé. Ils se conservent deux mois dans une boîte métallique entreposée dans un endroit sec.

Petits gâteaux aux fruits

Donne 40 morceaux /
Préparation : 25 min /
Cuisson : 1 h /
Réfrigération : 48 h

750 ml (3 tasses) de dattes dénoyautées
250 ml (1 tasse) de zestes d'orange ou de citron confits
250 ml (1 tasse) de cerises confites rouges
250 ml (1 tasse) de cerises confites vertes
250 ml (1 tasse) de raisins secs
375 ml (1 1/2 tasse) de noix, hachées grossièrement
250 ml (1 tasse) d'amandes moulues réduites en poudre
5 ml (1 c. à thé) de poudre à pâte
4 œufs
5 ml (1 c. à thé) de cannelle moulue
2,5 ml (1/2 c. à thé) de muscade râpée
30 ml (2 c. à soupe) de miel
30 ml (2 c. à soupe) de brandy ou de whisky
Confiture d'abricots, pour le glaçage

Préchauffer le four à 180 °C (350 °F). Beurrer et enfariner un moule carré de 25 cm (10 po). Mélanger tous les ingrédients ; verser dans le moule et faire cuire pendant environ 1 heure.

Laisser refroidir pendant 10 minutes ; démouler et poser le gâteau sur une grille, puis le laisser refroidir complètement. Envelopper le gâteau de pellicule plastique et réfrigérer 48 heures.

Couper le gâteau en carrés, puis napper ces bouchées de confiture d'abricots.

La recette est généreuse, mais à Noël et au jour de l'An, ces gâteaux s'éclipseront rapidement. Ce gâteau se conserve un mois au réfrigérateur.

Sucre à la crème et aux noix

Pour 6 personnes /
Préparation : 5 min /
Cuisson : environ 20 min /
Repos : 1 h

750 ml (3 tasses) de cassonade
180 ml (3/4 tasse) de sirop d'érable
180 ml (3/4 tasse) de crème 35 %
15 ml (1 c. à soupe) de crème de tartre
75 ml (5 c. à soupe) de beurre
375 ml (1 1/2 tasse) de noix de Grenoble ou de pacanes hachées
1 noix de beurre, pour le moule

Mettre les ingrédients dans une casserole, à l'exception des noix ; remuer à l'aide d'une cuillère en bois jusqu'à ce que le mélange soit uniforme ; quand une boule de sirop plongée dans l'eau glacée devient dure, le sucre à la crème est prêt. Incorporer les noix hachées ; verser dans un moule beurré et égaliser le mélange.

Laisser prendre 1 heure avant de découper le sucre à la crème.

Pour les petits plaisirs du temps des fêtes ou du quotidien, un sucre à la crème demeure toujours une gourmande douceur.

Petites boules de figues

Donne environ 15 petites boules /
Préparation : 25 min /
Réfrigération : 2 h

250 ml (1 tasse) de figues sèches
125 ml (1/2 tasse) d'amandes moulues
30 ml (2 c. à soupe) de sucre à glacer
60 ml (1/4 tasse) de chocolat semi-sucré, râpé
15 ml (1 c. à soupe) de brandy (ou d'un autre alcool)
15 ml (1 c. à soupe) de jus de citron
1 blanc d'œuf

GLAÇAGE :
60 ml (1/4 tasse) de chocolat blanc
15 ml (1 c. à soupe) de crème 35 %
Fruits confits, pour la décoration

Réunir tous les ingrédients, sauf ceux du glaçage, et bien mélanger ; réfrigérer pendant 2 heures, puis façonner en petites boules.

Glaçage : faire fondre le chocolat blanc avec la crème. Napper le dessus de chacune des boules et décorer de fruits confits.

Ces gourmandes boules aux figues sont d'adorables gâteries dont on ne se lasse jamais.

Index des recettes

Index
172